花儿与少年

梁晓声 著

中国青年出版社

目 录

第二辑 课桌课椅

第三辑 红腰带

序

我的少年时代

怎么的，自己就成了一个四十多岁的人了呢?

仿佛站在人生的山头上，五十岁的年龄已在向我招手，如俗话常说的——“转眼间的事儿”。我还看见六十岁的年龄拉着五十岁的手，我知道再接着我该从人生的山头上往下走了。如太阳已经过了中午，不管我情愿不情愿，我必须接受这样一个现实……

于是茫然地，不免频频回首追寻消失在岁月里的童年和少年时代。

我是一个穷人家的孩子，父亲是建筑工人，中国的第一代建筑工人。我六岁的时候他到大西北去了，以后我每隔几年才能见到他一面。在十年“文革”中我只见过他三次。我三十三岁那一年他退休了，在我三十三岁至四十岁的七年中，父亲到北京来，和我住过一年多。一九八八年五月他再次来北京，已是七十七岁的老人了。这一年的十月，父亲病逝在北京。

父亲靠体力劳动者的低微工资养活我和弟弟妹妹们长大，我常觉得我欠父亲很多很多。我总想回报，其实没能回报。如今，这一愿望再也不可能实现。

母亲也是七十多岁的老人了，在我的印象中，母亲就没穿过新衣服，我是扯着母亲的破衣襟长大的。如今母亲是很有几件新衣服了，但她不穿。她说，都老太婆了，还分什么新的旧的，年轻时没穿过体面的，老了更没那种要好的情绪了……

小胡同，大杂院，破住房，整日被穷困鞭笞得愁眉不展的母亲；窝窝头，野菜粥，补丁连补丁的衣服，露脚趾的鞋子……这一切构成了我童年和少年时期的物质的内容。

那么精神的呢？想不起有什么精神的，却有过一些渴望：渴望有一个像样的铅笔盒，里面有几支新买的铅笔和一支书写流利的钢笔；渴望有一个像样的书包；渴望在过队日时穿一身像样的队服；渴望某一天一觉醒来睁开眼睛，惊喜地发现家住的破败的小泥土房变成了起码像种样子的房子——起码门是门，窗是窗，棚顶是棚顶，四壁是四壁；在某一隅，摆着一张小小的旧桌子，并且它是属于我的，我可以完全占据它写作业、学习……如果这些渴望都可以算是属于精神的，那么就是了。

小学三年级起我是“特困生”、“免费生”，初中一年级起享受助学金，每学期三元五角，现在回想起来似乎是不可思议的事情。每学期三元五角，每个月七角钱。为了这每个月七角钱的助学金，常使我不知如何自我表现，才能觉得自己是个够资格享受助学金的学生。那是一种很大的精神负担和心理负担，用今天时髦的说法——“活得累”。对于童年和少年时期的我，由于穷困所逼，学校和家都是缺少亮色和欢乐的地方……

回忆不过就是回忆而已，写出来则似乎便有“忆苦”的意味，我更想说的其实是这样的思想——我们的共和国毕竟在发展和发达着。咄咄逼人的穷困虽然仍在某些地方和地区存在，但就大多数人而言，尤其在城市里，当年那种穷困已经不普遍了。如果恰恰读我这一篇短文的同学，亦是今天的一个贫家子弟，我希望他或她能产生这样的想法——梁晓声能从贫困的童年和少年度过到人生的中年，我何不能？我的中年比他的中年，将是更不负年龄的中年呐！

一个人的童年和少年，十分幸福，无忧无虑，被富裕的生活所宠爱着，是令人羡慕的，是一件幸事。我祝愿一切下一代人，都有这样的童年和少年。

但是，如果一个人的童年和少年不是这样，也不必看成是很不幸的事，不必以为自己便是天下最不幸的人了，更不必耽于自哀自怜。我的童年和少年，教我较早地懂了许多别的孩子尚不太懂的东西——对父母的体恤，对兄弟姐妹的爱心，对一切被穷困所纠缠的人的同情，对生活负面施加给人磨难的承受力，自己要求自己的种种责任，以及对生活里一切美好事物的本能向往，对人世间一切美好情感的珍重……

这些，对于一个人的一生，都是有益处的。也可以认为，是生活将穷困施加在某人身上，同时赏赐于他的补偿吧。倘人不用心灵去吸取这些，那么穷困除了是丑恶，便对人生多少有点促进的作用都没有了……

愿人人都有幸福的童年和少年……

第一辑

长相忆

我的小学

一

我永远忘不了这样一件事：某年冬天，市里要来一个卫生检查团到我们学校检查卫生，班主任老师吩咐两名同学把守在教室门外，个人卫生不合格的学生不准进入教室。我是不许进入教室的几个学生之一。我和两名把守在教室门外的学生吵了起来，结果他们从教员室请来了班主任老师。

班主任老师上下打量着我，冷起脸问："你为什么今天还要穿这么脏的衣服来上学？"

我说："我的衣服昨天刚刚洗过。"

"洗过了还这么脏？"老师指点着我衣襟上的污迹。

我说："那是油点子，洗不掉的。"

老师生气了，"回家去换一件衣服。"

我说："我就这一件上学的衣服。"

我说的是实话。

老师认为我顶撞了她，更加生气了，又看我的双手，说：

“回家叫你妈把你两手的皴用砖头蹭干净了再来上学！”接着像扒乱草堆一样乱扒我的头发，“瞧你这满头虮子，像撒了一脑袋大米，叫人恶心！回家去吧！这几天别来上学了，检查过后再来上学！”

我的双手，上学前用肥皂反复洗过，用砖头蹭也未必能蹭干净。而手的生皴，不是我所愿意的。我每天要洗菜，淘米，刷锅，刷碗。家里的破屋子四处透风，连水缸在屋内都结冰，我的手上怎么不生皴？不卫生是很羞耻的，这我也懂，但卫生需要起码的“为了活着”的条件，这一点我的班主任老师便不懂了。阴暗的，夏天潮湿冬天寒冷的，像地窖一样的一间小屋，破炕上每晚拥挤着大小五口人，四壁和天棚每天起码要掉下三斤土，炉子每天起码要向狭窄的空间飞扬四两灰尘……母亲每天早起晚归去干临时工，根本没有精力照料我们几个孩子，如果我的衣服居然还干干净净，手上没皴头上没有虮子，那倒真是咄咄怪事了！我当时没看过《西行漫记》，否则一定会顶撞一句：“毛主席当年在延安住窑洞时还当着斯诺的面捉虱子呢！”

我认为，身为教师者，最不应该以贫富来区别对待学生。我的班主任老师嫌贫爱富。我的同学中的区长、公社书记、工厂厂长、医院院长们的儿女，他们都并非品学兼优的好学生，有的甚至经常上课吃零食、打架，班主任老师却从未严肃地批评过他们一次。

对班主任老师尖酸刻薄的训斥，我只有含侮忍辱而已。

我两眼涌出泪水，转身就走。

这一幕却被语文老师看到了。

她说："梁绍生，你别走，跟我来。"扯住我的一只手，将我带到教员室。她让我放下书包，坐在一把椅子上，又说："你的头发也够长了，该理一理了，我给你理吧！"说着就离开了办公室。学校后勤科有一套理发工具，是专为男教师们互相理发用的，我知道她准是取那套理发工具去了。

可我心里却不想再继续上学了。因为穷，太穷，我在学校里感到一点尊严也没有，而一个孩子需要尊严正像需要母爱一样。我是全班唯一的免费生，免费对一个小学生来说是精神上的压力和心理上的负担。"你是免费生，你对得起党吗？"哪怕无意识地犯了算不得什么错误的错误，我也会遭到班主任老师这一类冷言冷语的训斥。我早听够了！

语文老师走出教员室，我便拿起书包逃离了学校。我一直跑出校园，跑着回家。

"梁绍生，你别跑，别跑呀！小心被汽车撞了呀！"

我听到了语文老师的呼喊。她追出了校园，在人行道上跑着追我。

我还是跑，她紧追。

"梁绍生，你别跑了，你要把老师累坏呀！"

我终于不忍心地站住了。

她跑到我跟前，已气喘吁吁。

她说："你不想上学啦？"

我说："是的。"

她说："你才小学四年级，学这点文化将来够干什么用？"

我说："我宁肯和我爸爸一样将来靠力气吃饭，也不在学校里忍受委屈了！"

她说："你这种想法是错误的。小学四年级的文化，将来也当不了一个好工人！"

我说："那我就当一个不好的工人！"

她说："那你将来就会恨你的母校，恨母校所有的老师，尤其会恨我。因为我没能规劝你继续上学！"

我说："我不会恨您的。"

她说："那我自己也不会原谅我自己！"

我满心间自卑、委屈、羞耻和不平，哇的一声哭了。

她抚摸着我的头，低声说："别哭，跟老师回学校吧，啊？我知道你们家里生活很穷困，这不是你的过错，没有什么值得自卑和羞耻的。你要使同学们看得起你，每一位老师都喜爱你，今后就得努力学习才是啊！"

我只好顺从地跟她回到了学校。

二

如今想起这件事，我仍觉后怕。没有我这位小学语文老师，依着我从父亲的禀性中继承下来的那种九头牛拉不动的倔强劲儿，很可能连我母亲也奈何不得我，当真从小学四年级就弃学了。那么今天我既不可能成为作家，也必然像我的那位小学语文老师说的——当不了一个好工人。

会讲故事的母亲和从小的穷困生活，是造成我这样一个作家的先决因素。狄更斯说过："穷困对于一般人是种不幸，但对于作家也许是种幸运。"的确，对我来说，穷困并不仅仅意味着童年生活的不遂人愿，它促使我早熟，促使我从童年起就开始怀疑生活、思考生活、认识生活、介入生活。虽然我曾千百次地诅咒过穷困，因穷困感到过极大的自卑和羞耻。

我发现自己也具有讲故事的“才能”，是在小学二年级。认识字了，语文课本成了我最早阅读的书籍，新课本发下来未过多久，我就先自己通读一遍了。当时课文中的生字标有拼音，读起来并不难。

一天，我坐在教室外的楼梯台阶上正聚精会神地看语文课本，教语文课的女老师走上楼，好奇地问：“你在看什么书？”

我立刻站起，规规矩矩地回答：“语文课本。”

老师又问：“哪一课？”

我说：“下堂您要讲的新课——《小山羊看家》。”

“这篇课文你觉得有意思吗？”

“有意思。”

“看过几遍了？”

“两遍。”

“能讲下来吗？”

我犹豫了一下，回答：“能。”

上课后，老师把我叫起，对同学们说：“这一堂讲第六课——《小山羊看家》，下面请梁绍生同学先把这篇课文讲述给我们听。”

我的名字本叫梁绍生，梁晓声是我在“文革”中自己改的名字。“文革”中兴起过一阵改名的时髦风，我在一张辞去班级“勤务员”职务的声明中首次署了现在的名字——梁晓声。

我被老师叫起后，开始有些发慌，半天不敢开口。

老师鼓励我："别紧张，能讲述到哪里，就讲述到哪里。"

我在老师的鼓励下，终于开口讲了："山羊妈妈有四个孩子，一天，山羊的妈妈要离开家……"

当我讲完后，老师说："你讲得很好，坐下吧！"

看得出，老师心里很高兴。

全班同学都很惊异，对我十分羡慕。

一个穷困人家的孩子，他没有任何值得自我炫耀的地方，当他的某一方面"才能"当众得以显示，并且被羡慕，并且受到夸奖，他心里自然充满骄傲。以后，语文老师每讲新课，总是提前几天告诉我，嘱我认真阅读，到讲那一堂新课时，照例先把我叫起，让我首先讲述给同学们听。

我们的语文老师，是一位主张教学方法灵活的老师。她需要我这样一名学生，喜爱我这样一名学生。因为我的存在，使她在我们这个班讲的语文课生动活泼了许多。而我也同样需要这样一位老师，因为是她给予了我在全班同学面前显示自己讲故事"才能"的机会。而这样的机会当时对我是重要的，使我幼小的意识中也有一种骄傲存在着，满足着我匮乏的虚荣心。后来，老师的这一语文教学方法，在全校推广开来，引起区和市教育局领导同志的兴趣，先后到我们班听过课。从小学二年级至小学六年级，我和我的语文老师一直配合得很默契。她喜爱我，我尊敬她。小学毕业后，我还回母校看望过她几次。"文革"开始，她因是市的教育标兵，受到了批斗。记得有一次我回母校去看她，她刚刚被批斗完，握着扫帚扫校园，剃了"鬼头"，脸上的墨迹也不许她洗去。

我见她那样子，很难过，流泪了。

她问："梁绍生，你还认为我是一个好老师吗？"

我回答："是的，您在我心中永远是一位好老师。"

她惨然地苦笑了，说："有你这样一个学生，有你这样一句话，我挨批挨斗也心甘情愿了！走吧，以后别再来看老师了，记住老师曾多么喜爱你就行！"

那是我最后一次见到她。不久，她跳楼自杀了。

她不但是我的小学语文老师，还是我小学母校的少先队辅导员老师，她在同学们中组织起了全市小学校的第一个"故事小组"和第一个"小记者委员会"。我小学时不是个好学生，经常逃学，不参加校外学习小组，除了语文成绩较好，算术、音乐、体育都仅是个"中等"生，直到五年级才入队。还是在我这位语文老师的多次力争下有幸戴上了红领巾，也是在我这位语文老师的力争下才成为"故事小组"和"小记者委员会"的成员。对此我的班主任老师很有意见，认为我的语文老师偏爱一个坏学生。我逃学并非因为我不爱学习。那时母亲天不亮就上班去了，哥哥已上中学，是校团委副书记兼学生会主席，也跟母亲一样，早晨离家，晚上才归，全日制，就苦了我。家里还有两个弟弟一个妹妹，我得给他们做饭吃，收拾屋子和担水，他们还常常哭着哀求我在家陪他们。将六岁、四岁、二岁的小弟小妹撇在家里，我常常于心不忍，便逃学，不参加校外学习小组。班主任老师从来也没有到我家进行过家访，因而不体谅我也就情有可原，认为我是一个坏学生更理所当然。班主任老师不喜欢我，还因为穿在我身上的衣服一向很不体面，不是过于肥大就是过于短小，不仅破，而且脏，衣襟几乎天天带着锅底灰和做饭时弄上的油污。在小学没有一个和我要好过的同学。

语文老师是我小学时期在学校里的唯一的朋友，我至今不忘她，永远都难忘。不仅因为她是我小学时期唯一关心过我喜爱过我的老师，不仅因为她给予了我唯一的树立起自豪感的机会和方式，还因她将我向文学的道路上推进了一步——由听故事到讲故事。

三

语文老师牵着我的手，重新把我带回了学校，重新带到教员室，让我重新坐在那把椅子上，开始给我理发。语文教员室里的几位老师百思不得其解地望着她。一位男老师对她说："你何苦呢？你又不是他的班主任。曲老师因为这个学生都对你有意见了，你一点儿不知道？"

她笑笑，什么也未回答。

她一会儿用剪刀剪，一会儿用推子推，将我的头发剪剪推推摆弄了半天，总算"大功告成"。她歉意地说："老师没理过发，手太笨，使不好推子也使不好剪刀，大冬天的给你理了个小平头，你可别生老师的气呀！"

教员室没面镜子。我用手一摸，平倒是很平，头发却短得不能再短了。哪里是"小平头"，分明是被剃了一个不彻底的秃头。虮子肯定不存在了，我的自尊心也被剪掉剃平。

我并未生她的气。随后她又拿起她的脸盆，领我到锅炉房，接了半盆冷水再接半盆热水，兑成一盆温水，给我洗头，洗了三遍。只有母亲才如此认真地给我洗过头。我的眼泪一滴滴落在脸盆里。

她给我洗好头，再次把我领回教员室，脱下自己的毛坎肩，套在我身上，遮住了我衣服前襟那片无法洗掉的污迹。她身材娇小，毛坎肩是绿色的，套在我身上尽管不伦不类，却并不显得肥大。教员室里的另外几位老师，瞅着我和她，一个个摇头不止，忍俊不禁。她说："走吧，现在我可以送你回到你们班级去了！"

她带我走进我们班级的教室后，同学们顿时哄笑起来。大冬天的，我竟剃了个秃头，棉衣外还罩了件绿坎肩，模样肯定是太古怪太滑稽了！

她生气了，严厉地喝问我的同学们："你们笑什么？有什么可笑的？嘲笑一个同学迫不得已的做法是可耻的行为！如果我是你们的班主任，谁再敢哄笑我就把谁赶出教室！"

这话她一定是随口而出的，绝不会有任何针对我的班主任老师的意思。我看到班主任老师的脸一下子拉长。班主任老师也对同学们呵斥："不许笑！这又不是耍猴！"班主任老师的话，更加使我感到被当众侮辱，而且我听出来了，班主任老师的话中，分明包含着针对语文老师的不满成分。语文老师听没听出来，我无法知道，我未看出她脸上的表情有什么变化。她对班主任老师说："曲老师，就让梁绍生上课吧！"班主任老师拖长语调回答："你对他这么尽心尽力，我还有什么话可说？"

市教育局卫生检查团到我们班检查卫生时，没因为班里有我这样一个剃了秃头、棉袄外套件绿色毛坎肩的学生，而贴在教室门上一面黄旗或黑旗。他们只是觉得我滑稽古怪，惹他们发笑而已……

从那时起直至我小学毕业，班主任老师和语文老师的关系一直不融洽。我知道这一点，我们班的所有同学也都知道这一点，而这似乎完全是由于我导致的。几年来，我在一位关心我的老师和一位讨厌我的老师之间，处处谨小慎微，循规蹈矩，力不胜任地扮演一架天平上的小砝码的角色。扮演这种角色，对于一个小学生的心理，无异于扭曲，对我以后的性格形成不良影响，使我如今不可救药地成了一个忧郁型的人。

我心中暗暗铭记语文老师对我的教诲，学习努力起来，成绩渐好。

班主任老师却不知为什么对我愈发冷漠无情了。

四

四年级上学期期末考试，我的语文和算术破天荒地拿了“双百”，而且《中国少年报》选登了我的一篇作文，市广播电台“红领巾”节目也广播了我的一篇作文，还有一篇作文用油墨抄写在儿童电影院的宣传栏上。同学对我刮目相待了，许多老师也对我和蔼可亲了。

校长在全校师生大会上表扬了我的语文老师，充分肯定了在我这个一度被视为坏学生的转变和进步过程中，她所付出的种种心血，号召全校老师像她那样对每一个学生树立起高度的责任感。

受到表扬有时对一个人不是好事。

在她没有受到校长的表扬之前，许多师生都公认，我的“转变和进步”与她对我的教育是分不开的。而在她受到校长的表扬之后，某些老师竟认为她是一个“机会主义者”。“文革”期间，有一张攻击她的大字报，赫赫醒目的标题——“看机会主义者 ×× 是怎样在教育战线进行投机和沽名钓誉的！”而我们班几乎所有同学，都不知掌握了什么证据，断定我那三篇给自己带来荣誉的作文，是语文老师替我写的。于是流言传播，闹得全校沸沸扬扬。

○

四年级二班的梁绍生，

是个逃学精，

老师替他写作文，

《少年报》上登，

真该用屁崩！

○

一些男同学，还编了这样的顺口溜，在我上学和放学的路上，包围着我讥骂。

班主任老师亲眼看见过我被凌辱的情形，没制止。

班主任老师对我冷漠无情到视而不见的地步。她教算术，在她讲课时，连扫也不扫我一眼了。她提问或者叫同学在黑板上解答算术题时，无论我将手举得多高，都无法引起她的注意。

一天，在她的课堂上，同学们做题，她坐在讲课桌前批改作业。教室里静悄悄的。

“梁绍生！”她突然大声叫我的名字。

我吓了一跳，立刻怯怯地站了起来。

全体同学都停了笔。

“到前边来！”班主任老师的语调中隐含着一股火气。

我惴惴不安地走到讲桌前。

“作业为什么没写完？”

“写完了。”

“当面撒谎！你明明没写完！”

“我写完了，中间空了一页。”

我的作业本中夹着印废了的一页，破了许多小洞，我写作业时随手翻过去了，写完作业后却忘了扯下来。

我低声下气地向她承认是我的过错。

她不说什么，翻过那一页，下一页竟仍是空页。

我万没想到我写作业时翻得匆忙，会连空两页。

她拍了一下桌子：“撒谎！撒谎！当面撒谎！你明明是没有完成作业！”

我默默地翻过了第二页空页，作业本上展现出我接着做完了的作业。

她的脸倏地红了，“你为什么连空两页？！想要捉弄我一下是不是？！”

我垂下头，讷讷地回答：“不是。”

她又拍了一下桌子，“不是？！我看你就是这个用意！你别以为你现在是个出了名的学生了，还有一位在学校里红得发紫的老师护着你，托着你，拼命往高处抬举你，我就不敢批评你了！我是你的班主任，你的小学鉴定还得我写呢！”

我被彻底激怒了，我不能容忍任何人在我面前侮辱我的语文老师！我爱她！她是全校唯一使我感到亲近的人！我觉得她像我的母亲一样，我内心里是视她为我的第二个母亲的！

我突然抓起讲台桌上的红墨水瓶，班主任以为我要打在她脸上，吃惊地远远躲开我，喝道：“梁绍生，你要干什么？！”

我并不想将墨水瓶打在她脸上，我只是想让她知道，我是一个人，在忍无可忍的情况下我是会愤怒的！

我将墨水瓶使劲摔到墙上。

墨水瓶粉碎了，雪白的教室墙壁上出现了一片“血”迹！

我接着又将粉笔盒摔到了地上，一盒粉笔尽断，四处滚去。

教室里长久的一阵鸦雀无声，直至下课铃响。

那天放学后，我在学校大门外守候着语文老师回家。她走出学校时，我叫了她一声。

她奇怪地问：“你怎么不回家？在这里干什么？”

我垂下头去，低声说：“我要跟您走一段路。”

她沉思地瞧了我片刻，一笑，说：“好吧，我们一块儿走。”

我们默默地向前走。

她忽然问：“你有什么事要告诉我吧？”

我说：“老师，我想转学。”

她站住，看着我，又问：“为什么？”

我说：“我不喜欢我们班级！在我们班我没有朋友，曲老师讨厌我！要不请您把我调到您当班主任的四班吧！”

我说着想哭。

"那怎么行？不行！"她语气非常坚决，"以后你再也不许提这样的请求！"

我也非常坚决地说："那我就只有转学了！"眼泪涌出了眼眶。

她说："我不许你转学。"

我觉得她不理解我，心中很委屈，想跑掉。

她一把扯住我，说："别跑。你感到孤独是不是？老师也常常感到孤独啊！你的孤独是穷困带来的，老师的孤独……是另外的原因带来的。你转到其他学校也许照样会感到孤独，我们一个孤独的老师和一个孤独的学生不是更应该在一所学校里吗？转学后你肯定会想念老师，老师也肯定会想念你的。孤独对一个人不见得是坏事……这一点你以后会明白的。再说你如果想有朋友，你就应该主动去接近同学们，而不应该对所有同学都充满敌意，怀疑所有同学心里都想欺负你……"

我的小学语文老师已成泉下之人近二十年了，我只有在这篇纪实性的文字中，表达我对她虔诚的怀念。

我和橘皮的往事

多少年过去了，那张清瘦而严厉的、戴六百度黑边近视镜的女人的脸，仍时时浮现在我眼前，她就是我小学四年级的班主任老师。想起她，也就使我想起了一些关于橘皮的往事……

当年我的小学母校有校办工厂，不过规模很小。专从民间收集橘皮，烘干了，碾成粉，送到药厂去，所得加工费，用以补充学校的教学经费。

有一天，轮到我和我们班的几名同学，去那小厂房里义务劳动。一名同学问指派我们干活的师傅，橘皮究竟可以治哪几种病？师傅就告诉我们可以治什么病，尤其对平喘和减缓支气管炎有良效。我听了暗暗记在心里。我的母亲每年冬季都为支气管炎所苦，经常喘作一团，憋红了脸，透不过气来。可是家里穷，母亲舍不得花钱买药，就那么一冬季又一冬季地忍受着，一冬季比一冬季气喘得厉害。看着母亲喘作一团，憋红了脸透不过气来的痛苦样子，我和弟弟妹妹每每心里难受得想哭。我暗想，一麻袋又一麻袋，这么多这么多橘皮，我何不替母亲带回家一点儿呢？当天，我往兜里偷偷揣了几片干橘皮。

以后，每次义务劳动，我都往兜里偷偷揣几片干橘皮。

母亲喝了一阵子干橘皮泡的水，剧烈喘息的时候分明地减少了，起码我觉着是那样。我内心里的高兴真是没法儿形容。母亲自然问过我从哪儿弄的干橘皮。我撒谎，骗母亲，说是校办工厂的师傅送的。母亲就抚摸我的头，用微笑表达她因她儿子的孝心所感受到的那份儿欣慰。那乃是穷孩子的母亲普遍的最由衷的也是最大的欣慰啊！……

不料想，由于一名同学的告发，我成了一个小偷，一个贼。先是在全班同学眼里成了一个小偷，一个贼，后来是在全校同学眼里成了一个小偷，一个贼。

那是特殊的年代，哪怕小到一块橡皮，半截铅笔，只要一旦和“偷”字连起来，足以构成一个孩子从此无法刷洗掉的耻辱，也足以使一个孩子从此永无自尊可言。贼的罪名，甚至足以使一个人背负终生。即使往后别人忘了，不再提起了，在当事者的内心里，也是铭刻下了。这种刻痕，往往扭曲了一个人的一生，改变了一个人的一生，毁灭了一个人的一生……

在学校的操场上，我被迫当众承认自己偷了几次橘皮，当众承认自己是贼。当众，便是当着全校同学的面啊！

于是我在班级里，不再是任何同学的同学，而是一个贼。于是我在学校里，仿佛已经不再是一名学生，而仅仅是，无可争议的是一个贼、一个小偷了。

我觉得，连我上课举手回答问题，老师似乎都佯装不见，目光故意从我身上一扫而过。我处于可怕的孤立之中。我不敢对母亲讲我在学校的遭遇和处境，怕母亲为我而悲伤……

当时我的班主任老师，也就是那一位清瘦而严厉的、戴六百度近视镜的中年女教师，正休产假。她重新给我们上第一堂课的时候，就觉察出了我的异常处境。放学后她把我叫到了僻静处，而不是教员室里，问我究竟做了什么不光彩的事。我哇地哭了……

第二天，她在上课之前说："首先我要讲讲梁绍生（我当年的本名）和橘皮的事。他不是小偷，不是贼。是我嘱咐他在义务劳动时，别忘了为老师带一点儿橘皮，老师需要橘皮掺进别的中药治病。你们再认为他是小偷，是贼，那么也把老师看成是小偷，是贼吧！"第三天，当全校同学做课间操时，大喇叭里传出了她的声音，说的是她在课堂上所说的那番话。

从此我又是同学的同学，学校的学生，而不再是小偷不再是贼了，从此我不想死了……

我的班主任老师，她以前对我从不曾偏爱过，以后也不曾。在她眼里，以前和以后，我都只不过是她的四十几名学生中的一个，最普通的最寻常的一个。但是，从此在我心目中，她不再是一位普通的老师了。尽管依然像以前那么严厉，依然戴六百度的近视镜……

在"文革"中，那时我已是中学生了，没给任何一位老师贴过大字报。我常想，这也许和我永远忘不了小学班主任老师有某种关系。没有她，我不太可能成为作家。也许我的人生轨迹将彻底地被扭曲、改变，也许我真的会变成一个贼，以我的堕落报复社会。也许，我早已自杀了……

以后我受过许多险恶的伤害，但她使我永远相信，生活中不只有坏人，像她那样的好人是确实存在的。因此，我应永远保持对生活的真诚热爱！

我的中学

我的中学时代是我真正开始接受文学作品熏陶的时代。比较起来，我中学以后所读的文学作品，还抵不上我从一九六三年至一九六八年下乡前这五年内所读过的文学作品多。

在小学五六年级，我已读过了许多长篇小说。我读的第一本中国长篇小说是《战斗的青春》，读的第一本外国长篇小说是《钢铁是怎样炼成的》。

而在中学我开始知道了托尔斯泰、巴尔扎克、雨果、车尔尼雪夫斯基、陀思妥耶夫斯基、高尔基等外国伟大作家的名字，并开始喜爱上了他们的作品。

我在短篇小说《这是一片神奇的土地》中有几处引用了希腊传说中的典故，某些评论家们颇有异议，认为超出了一个中学生的阅读范围。我承认在引用时，有自我炫耀的心理作怪。但说“超出”了一个中学生的阅读范围，证明这样的评论家根本不了解中学生，起码不了解六十年代的中学生。

我的中学母校是哈尔滨市第二十九中学，一所普通的中学。在我的同学中，读长篇小说根本不是什么新鲜事。不分男女同学，大多数都开始喜欢读长篇小说了。古今中外，凡是能弄到手的都读。一个同学借到或者买到一本好小说，首先会在几个亲密的同学之间传看，传看的圈子往往无法限制，有时几乎扩大到全班。

我在中学时代能够读到不少真正的文学作品，还应当感激我的母亲。母亲那时已从铁路上被解雇下来，又在一个加工棉胶鞋鞋帮的条件低劣的小工厂参加工作，每月可挣三十几元钱贴补家庭生活。

我们渴望读书，只要是为了买书，母亲给我们钱时从未犹豫过。母亲没有钱，就向邻居借。

家中没有书架，也没有摆书架的地方。母亲为我们腾出一只旧木箱，我们买的书，包上书皮儿，看过后存放在箱子里。

最先获得买书特权的，是我的哥哥。

哥哥也酷爱文学。我对文学的兴趣，一方面是母亲以讲故事的方式不自觉地培养的结果，另一方面是受哥哥的熏染。

我之所以走上文学道路，哥哥起的作用，不亚于母亲和我的小学语文老师。

六十年代的教学，比今天更体现对学生素养的普遍重视。哥哥高中读的已不是“语文”课本，而是“文学”课本。

哥哥的“文学”课本，便成了我常常阅读的“文学”书籍。

一册高中生的“文学”课本，其文学内容之丰富，绝不比目前的一本什么文学刊物差，甚至要比目前的某些文学刊物的内容更丰富，水平更优秀。收入高中“文学”课本中的，大抵是古今中外优秀文学作品的章节，古今中外的诗歌、散文、小说、杂文，无所偏废。

"岳飞枪挑小梁王"，"鲁提辖拳打镇关西"，"杜十娘怒沉百宝箱"，鲁迅、郁达夫、茅盾、叶圣陶的小说，郭沫若的词，闻一多、拜伦、雪莱、裴多菲的诗，马克·吐温的小说，欧·亨利的小说，高尔基的小说……货真价实的一册综合性文学刊物。

那时的高中"文学"课多么好！

我相信，二十世纪六十年代的高中生可能有不愿上代数课的，有不愿上物理课、化学课、政治课的，但如果谁不愿上"文学"课则太难理解了！

我到北大荒后，曾当过小学老师和中学老师，教过"语文"。七十年代的中小学"语文"课本，让我这样的老师根本不愿拿起来，远不如"扫盲运动"中的工农课本。

当年，哥哥读过的"文学"课本，我都一册册保存起来，成了我的首批"文学"藏书，哥哥还很舍不得将它们给我呢！

哥哥无形中取代了母亲"家庭故事员"的角色，每天晚上，他做完功课，便捧起"文学"课本，为我朗读，我们理解不了的，他就用心启发我们。

一个高中生朗读的"文学"，比一位没有文化的母亲讲的故事当然更是文学的"享受"。某些我曾听母亲讲过的故事，如"牛郎织女"、"天仙配"、"白蛇传"，由哥哥照着课本一句句朗读给我们听，产生的感受也大不相同。我从哥哥那里获得的是真正的文学的熏陶。

感激六十年代的高中"文学"课本的编者们！

哥哥还经常从他的高中同学们手中将一些书借回家里来看，他和他的几名要好的男女同学还组成了一个"阅读小组"。哥哥的高中母校是哈尔滨一中，是重点学校。在他们这些重点学校的喜爱文学的高中生之间，阅读外国名著蔚然成风，他们那个“阅读小组”还有一张大家公用的哈尔滨图书馆的借书证。

哥哥每次借书，我都请求他看完后迟还几天，让我也看完，哥哥一向满足我的愿望。

可以说，我是从大量阅读外国作品开始真正接触文学的。我受哥哥的影响，非常崇拜苏俄文学，至今认为苏俄文学是世界上伟大的文学。当代苏联文学不但继承了俄罗斯的文学传统，在借鉴西方现代派文学方面也比我们捷足先登。当代苏联文学可以明显地看到现实主义和现代派文学的有机结合，苏联电影在这方面进行了更为成功的实践。

回顾我所走过的道路，连自己也能看出某些拙作受苏俄文学潜移默化的影响，而在文字上则接近翻译体小说。后来才在创作实践中渐渐意识到自己中国民族文学语言的基本功很弱，才开始注重对中国小说的阅读，才开始在实践中补习中国传统小说这一课。

我除了看自己借到的书，看哥哥借到的书，小人书铺是中学时代的“极乐园”。

那时我们家已从安平街搬到光仁街住了。像一般的家庭主妇们新搬到一地，首先关心附近有几家商店一样，我首先寻找的是附近有没有小人书铺。令我感到庆幸的是，那一带的小人书铺真不少。

从我们家搬到光仁街后到我下乡前，我几乎将那一带小人书铺中我认为好的小人书看遍了。

我看小人书，怀着这样的心理：自己阅读长篇小说时头脑中想象出来的人物是否和小人书上画出来的人物形象一致。二者接近，我便高兴。二者相差甚远，我则重新细读某部长篇小说，想要弄明白个所以然。有些长篇小说，就是在这样的情况下读过两遍的。

谈到读长篇，我想到了《红旗谱》，我认为它是新中国成立以来中国最优秀的长篇小说。由《红旗谱》我又想起两件事。

我买《红旗谱》，只有向母亲要钱，为了要钱才去母亲做活的那个条件低劣的街道小工厂。

那个街道小工厂，两百多平方米的四壁颓败的大屋子，低矮、阴暗，天棚倾斜，仿佛随时会塌下来。五六十个家庭妇女，一人坐在一台破旧的缝纫机旁，一双接一双不停歇地加工棉胶鞋鞋帮，到处堆着毡团。空间毡绒弥漫，所有女人都戴着口罩。几扇窗子一半陷在地里，无法打开，空气不流通，闷得使人头晕。耳畔脚踏缝纫机的声音响成一片，女工们彼此说话，不得不摘下口罩，扯开嗓子。话一说完，就赶快将口罩戴上。她们一个个紧张得不直腰，不抬头，热得汗流浃背。

有几个身体肥胖的女人，竟只穿着件男人的背心。我站在门口，用目光四处寻找母亲，却认不出在这些女人中，哪一个是我的母亲。

负责给女工们递送毡团的老头问我找谁，我向他说出了母亲的名字。

我这才发现，最里边的角落，有一个瘦小的身躯，背对着我，像八百度的近视眼写字一样，头低垂向缝纫机，正做活。

我走过去，轻轻叫了一声："妈……"

母亲没听见。

我又叫了一声。

母亲仍未听见。

“妈！”我喊起来。

母亲终于抬起了头。

母亲瘦削而憔悴的脸，被口罩遮住三分之二，口罩已湿了，一层毡绒附着上面，使它变成了毛茸茸的褐色。母亲的头发上衣服上也落满了毡绒，母亲整个人都变成了毛茸茸的褐色。这个角落更缺少光线，更暗。一只可能是一百度的灯泡，悬吊在缝纫机上方，向窒闷的空间继续散热，一股蒸蒸的热气顿时包围了我。缝纫机板上水淋淋的，是母亲滴落的汗。母亲的眼病常年不愈，红红的眼睑夹着黑白混浊的眼睛，目光呆滞地望着我，问：“你到这里来干什么？找妈有事？”

“妈，给我两元钱……”我本不想再开口要钱。亲眼看到母亲是这样挣钱的，我心里难受极了。可不想说的话，说了，我追悔莫及。

“买什么？”

“买书……”

母亲不再多问，手伸入衣兜，掏出一卷毛票，默默点数，点够了两元钱递给我。

我犹豫地伸手接过。

离母亲最近的一个女人，停止做活，看着我问：“买什么书啊？这么贵！”

我说：“买一本长篇。”

“什么长篇短篇的！你瞧你妈一个月挣三十几元钱容易吗？你开口两元，你妈这两天的活白做了！”那女人将脸转向母亲，又说，“大姐你别给他钱！你是当妈的，又不是奴隶！供他穿，供他吃，供他上学，还供他花钱买闲书看吗？你也太顺他意了！他还能出息成个写书的人咋的？”

母亲淡然苦笑，说：“我哪敢指望他能出息成个写书的人呢！我可不就是为了几个孩子才做活的嘛！这孩子和他哥一样，不想穿好的，不想吃好的，就爱看书！反正多看书对孩子总是有些教育的，算我这两天白做了呗！”说着，俯下身继续蹬缝纫机。

那女人独自叹道：“唉，这老婆子，哪一天非为了儿女们累死缝纫机旁！”

我心里内疚极了，一转身跑出去。

我没有用母亲给我那两元钱买《红旗谱》。

几天前母亲生了一场病，什么都不愿吃，只想吃山楂罐头，却没舍得花钱给自己买。我就用那两元钱，几乎跑遍了道里区的大小食品商店，终于买到了一听山楂罐头，剩下的钱，一分也没花。

母亲下班后，发现了放在桌上的山楂罐头，沉下脸问：“谁买的？”

我说：“妈，我买的，用你给我那两元钱为你买的。”说着将剩下的钱从兜里掏出来也放在桌上。

“谁叫你这么做的？”母亲生气了。

我讷讷地说：“谁也没叫我这么做，是我自己……妈，我今后再也不向你要钱买书了……”

“你向妈要钱买书妈不给过你吗？”

我摇摇头，一句话也不敢说。

“那你为什么还说这种话？一听罐头，妈吃不吃又能怎么样呢？还不如你买本书，将来也能保存给你弟弟们看……”

“我……妈，你别去做活了吧！”我扑在母亲怀里，哭了。

母亲变得格外慈爱，她抚摸着我的头发，许久又说：“妈妈不去做活，靠你爸每月寄回家那点钱，日子没法过啊……”

《红旗谱》这本书没买，我心里总觉得是一个很大愿望没实现。那时我已有了六七十本小人书，我便想到了出租小人书。我的同学中就有出租过小人书的，一天少可得两三毛钱，多可得四五毛钱，再买新书，以此法渐渐增多自己的小人书。

一个星期天，我将自己的全部小人书背着母亲用块旧塑料布包上，带着偷偷溜出家门，来到火车站。在站前广场，苏联红军烈士纪念碑下，铺开塑料布，摆好小人书，坐一旁期待。

火车站是租小人书的好地方。我的书摊前渐渐围了一圈人，大多是候车或转车的外地人。我不像我的那几个租过小人书的同学，先收钱。我不按小人书的页数决定收几分钱，厚薄一律二分。我预想周到，带了一截粉笔，画线为“界”。要求看书者们必须在“界”内，我自己在“界”外。这既有利于他们，也方便于我。他们可以坐在纪念碑台阶上，我盘腿坐在他们对面，精力集中地注意他们，防止谁贪小便宜将我的书揣入衣兜。看完了的，才许跨出“界”外，一手还书，一手交钱。我“管理”有方，“生意”竟很“兴隆”，心中无比喜悦。

“喂，起来，起来！”背后一个声音忽然对我吆喝，一只皮鞋同时踢我屁股。我站起来，转身一看，是位治安警察。“你们，把书都放下！”戴着白手套的手，朝那些看书的人指。人们纷纷站起，将书扔在塑料布上，扫兴离去。治安警察命令："把书包起来。"我情知不妙，一声不敢吭，赶紧用塑料布将书包起来，抱在怀里。

那治安警察将它一把从我怀中夺过去，迈步就走。

我扯住他的袖子嚷："你干什么呀你？"

"干什么？"他一甩胳膊挣脱我的手，"没收了！"

"你凭什么没收我的书呀？"

"凭什么？"他指指写有"治安"二字的袖标，"就凭这个！这里不许出租小人书你知道不知道？"

"我……我不知道，我今后再也不到这儿来出租小人书了……"我央求他，快急哭了。

"那么说你今后还要到别的地方去出租啦？"

"不，我不是那个意思，我今后哪儿也不去出租了，你还给我，还给我吧！"

"一本不还！"那个治安警察真是冷酷，说罢大步朝站前派出所走去。

我哇的一声哭了，我追上他，哭哭啼啼，由央求而哀求。他被我纠缠火了，厉声喝道："再跟着我，连你也扯到派出所去！"

我害怕了，不敢继续哀求，眼睁睁看着他扬长而去……

我失魂落魄地往家走，那种绝望的心情，犹如破了产的大富翁。

经过霁虹桥时，真想从桥上跳下去。

回到家里，我越想越伤心，又大哭了一场，哭得弟弟妹妹们莫名其妙。母亲为了多挣几元钱，星期日也不休息。哥哥问我为什么哭，我不说。哥哥以为我不过受了点别人的欺负，未理睬我，到学校参加什么活动去了。

母亲那天下班挺晚，她回到家里，见我躺在炕上，坐到炕边问我怎么了。我因为我那六七十本小人书全部被没收一下子急病了，我失去了一个“世界”呀！我的心是已经迷上了这个“世界”的呀！

我流着泪，用嘶哑的声音告诉母亲，我的小人书是怎样在火车站被一个治安警察没收的。母亲缓缓站起，无言地离开了我。我迷迷糊糊睡着了，梦中从那个治安警察手中夺回了全部的小人书。我迷迷糊糊睡了两个多小时，由于嗓子焦灼才醒过来。窗外，天黑了，屋里拉亮了灯。

我一睁开眼睛，首先发现的竟是我包小人书的塑料布包！我惊喜地爬起，匆匆忙忙地打开塑料布，内中包的果然是我的那些小人书！

外屋，传来“嘭、嘭、嘭”的响声，是母亲在用铁丝拍子拍打带回家里的毡团。母亲每天都必得带回家十几斤毡团，拍打松软了，以备第二天絮鞋帮用。

“妈！……”我用沙哑的声音叫母亲。

母亲闻声走进屋里。

我不禁喜笑颜开，问：“妈，是你要回来的吧？”

母亲“嗯”了一声，说：“记着，今后不许你出租小人书！”说完，又到外屋去拍打毡团。

我心中一时间对母亲充满了感激。母亲是连晚饭也没顾上吃一口便赶到火车站去的。母亲对那个治安警察说了多少好话，是否交了罚款，我没问过母亲，也永远地不知道了……

三天后的中午，哥哥从外面回来，一进门就告诉我，要送我一样礼物，并叫我猜是什么。

那一天是我的生日，生活穷困，无论母亲还是我们几个孩子，是从不过生日的。

我以为哥哥骗我，不猜。哥哥神秘地从书包取出一本书，“你看！”

《红旗谱》！

对我来说，再也没有比它更使我高兴的生日礼物了！哥哥又从书包取出了两本书，“还有呢！”

我激动地夺过一看——《播火记》、《烽烟图》！是《红旗谱》的两本下部！

我当时还不知道《红旗谱》的下部已经出版。我放下这本，拿起那本，爱不释手。

哥哥说：“是妈叫我给你买的。妈给了我一张五元的钱，我手一松，就连同两本下部也给你买回来了。”

我说：“妈叫你给我买一本，你却给我买了三本，妈会责备你吧？”

哥哥说：“不会的。”

我放下书，心情复杂地走出家门，走到胡同口母亲做活的条件低劣的街道小工厂。

我趴在低矮的窗上向里面张望，在那个角落，又看到了母亲瘦小的身影，背朝着我，俯在缝纫机前。缝纫机左边，是一大垛轧好的棉胶鞋鞋帮，右边，是一大堆拍打过的毡团，母亲整个人变成了毛茸茸的褐色。

我心里对母亲说：“妈，我一定爱惜买的每一本书……”却没有想到只有将来当一位作家才算对得起母亲。

至今我仍保持着格外爱惜书的习惯，小时候想买一本书需鼓足勇气才能够开口向母亲要钱，现在见了好书就非买不可。平日没时间逛书店，出差到外地，则将逛书店当成逛街市的主要内容。往往出差归来，外地的什么特产都没带回，带回一捆书，而大部分又是在北京的书店不难买到的。

买书其实莫如借书。借的书，要尽量挤时间早读完归还。买的书，却并不急于阅读了。虽然如此，依旧见了好书就非买不可。

由于我迷上了文学作品，学习成绩大受影响。我在中学时代，是个中等生，对物理、化学、地理、政治一点儿兴趣也提不起来，每次考试勉强对付及格。俄语初一上学期考试得过一次最高分——九十五，以后再没及格过。我喜欢上的是语文、历史、代数、几何课。代数、几何之所以也能引起我的学习兴趣，因为像旋转魔方。公式定理是死的，解题却需要灵活性。我觉得解代数或几何题也如同写小说，一篇同样内容的小说，要达到内容和形式的高度完美统一，必定也有一种最佳的创作角度选择，一般的多种多样，最佳的可能仅仅只有一种。重审我自己的作品，平庸的，恰是创作之前没有进行认真选择角度的，所谓粗制滥造，原因概出于此。

初二下学期，我的学习成绩令母亲和哥哥忧郁了，不得不开始限制我读小说。我也唯恐考不上高中，遭人耻笑，就暂时中断了与文学的“恋爱”。

“文革”风起云涌后，同一天内，我家附近那四个小人书铺，遭到“红卫兵”的彻底“扫荡”。

我记得很清楚，那一天我到通达街杂货店买咸菜，见杂货店隔壁的小人书铺前，一堆焚书余烬，冒着袅袅青烟。窗子碎了，租小人书的老人，泥胎似的呆坐屋里，我常去看小人书，他对我很熟悉。我们隔窗相望一眼，彼此无话可说，我心中对他充满同情。

“文革”对全社会也是一场“焚书”运动，却给我个人带来了占有更多图书的机会。我们那条小街住的大多是“下里巴人”，竟有四户收破烂的，院内一户，隔街对院一户，街头两户。

“文革”初期，他们每天都一手推车一手推车地载回来成捆成捆的书刊，我们院子里那户收破烂的户前屋内书刊铺地。收破烂的姓卢，我称他“卢叔”。他每天一推回书刊来，我是第一个拆捆挑拣的人。书在“文革”中成了起祸的根源，不知有多少人，忍痛将他们的藏书当废纸卖掉了，而我成了一个地地道道的“发国难财”的人。《怎么办》、《猎人笔记》、《白痴》、《美国悲剧》、《妇女乐园》、《白鲸》、《堂吉诃德》……一些我原先连书名也没听说过的，或在书店里看到了想买而买不起的书，都是从“卢叔”收回来的书堆里寻找到的。寻找到一两本时，我打声招呼，就拿走了。寻找到五六本时，不好意思白拿走，象征性地交给“卢叔”一两毛钱，就算买下来。学校停课，我极少到学校去，在家里读那些读也读不完的书，同时担起了“家庭主妇”的种种责任。

最使我感到愉快的时刻，是冬天里，母亲下班前，我将“大子”淘下饭锅的时刻。那时刻，家中很安静，弟弟妹妹们各自趴在里屋炕上看小人书，我则可以手捧一本自己喜爱的文学作品，坐在小板凳上，守在炉前看锅。“子”粥起码两个小时才能熬熟，两个小时内可以认认真真地读几十页书。有时书中人物的命运引起我的沉思和联想，凝视着火光闪耀的炉口，不免出神。

一九六八年我下乡前，已经有满满的一木箱书。我下乡那一天，将那一木箱整理了一番，底下铺纸，上面盖纸，落了锁。

我把钥匙交给母亲替我保管，对母亲说："妈，别让任何人开我的书箱啊！这些书可能以后在中国再也不会出版了！"

母亲理解地回答："放心吧，就是家里失了火，我也叫你弟弟妹妹先把你的书箱搬出去！"

对较多数已经是作家的人来说，通往文学目标的道路用写满字迹的稿纸铺垫。这条道路不是百米赛跑，是漫长的"马拉松"，是必须一步步进行的竞走。这也是一条时时充满了自然淘汰现象的道路，缺少耐力，缺少信心，缺少不断进取精神的人，缺少在某一时期内自甘寂寞的勇气的人，即使"一举成名"，声誉鹊起，也可能"昙花一现"——始终"竞走"在文学道路上的大抵是些"苦行僧"。

第一支钢笔

它是黑色的，笔身粗大，外观笨拙。全裸的笔尖，旋拧的笔帽。胶皮笔囊内没有夹管，吸墨水时，捏一下，缓慢鼓起。墨水吸得太足，写字常常“呕吐”，弄脏纸和手。我使用它，已经二十多年了。笔尖劈过，断过，被我磨齐了，也磨短了。笔道很粗，写一个笔画多的字，大稿纸的两个格子也容不下。已不能再用它写作，只能写便笺或信封。

它是我使用的第一支钢笔，母亲给我买的。那一年，我升入小学五年级。学校规定，每星期有两堂钢笔字课。某些作业，要求学生必须用钢笔完成。全班每一个同学，都有了一支崭新的钢笔。有的同学甚至有两支。我却没有钢笔可用，连支旧的也没有。我只有蘸水钢笔，每次完成钢笔作业，右手总被墨水染蓝，染蓝了的手又将作业本弄脏。我常因此而感到委屈，做梦都想得到一支崭新的钢笔。

一天，我终于哭闹起来，折断了那支蘸水笔，逼着母亲非立刻给买一支吸水笔不可。

母亲对我说：“孩子，妈妈不是答应过你，等你爸爸寄回钱来，一定给你买支吸水笔吗？”

我不停地哭闹，喊叫：“不，不，我今天就要，你去给我借钱买。”

母亲叹了口气，为难地说：“你这孩子，真不懂事。这月买粮的钱，是向邻居借的；交房费的钱，也是向领导借的；给你妹妹看病，还是向领导借的钱。为了今天给你买一支吸水笔，你就非逼着妈妈再去向邻居借钱吗？叫妈妈怎么张得开口啊？”

我却不管母亲好不好意思再向邻居张口借钱，哭闹得更凶。母亲心烦了，打了我两巴掌，我赌气哭着跑出了家门……

那天下雨，我在雨中游荡了大半日不回家，衣服淋湿了，头脑也淋得平静了，心中不免后悔自责起来。是啊，家里生活困难，仅靠在外地工作的父亲每月寄回几十元钱过日子，母亲不得不经常向邻居开口借钱。母亲是个很顾脸面的人，每次向邻居家借钱，都需鼓起一番勇气。

我怎么能为了买一支吸水笔，就那样为难母亲呢？我觉得自己真是太对不起母亲了。

于是我产生了一个念头，要靠自己挣钱买一支钢笔。这个念头一产生，我就冒雨朝火车站走去。火车站附近有座坡度很陡的桥，一些大孩子常等在坡下，帮拉货的手推车夫们推上坡，可讨得五分钱或一角钱。

我走到那座大桥下，等待许久，不见有推车来。雨越下越大，我只好站到一棵树下躲雨。雨点噼噼啪啪地抽打着肥大的杨树叶，冲刷着马路。马路上不见一个行人的影子，只有公共汽车偶尔驶来驶去。几根电线杆子远处，就迷迷蒙蒙地看不清楚什么了。

我正感到沮丧，想离开，雨又太大，等下去，肚子又饿，忽然发现了一辆手推车，装载着几层高高的木箱子，遮盖着雨布。拉车人在大雨中缓慢地、一步步地朝这里拉来，看得出，那人拉得非常吃力——腰弯得很低，上身几乎俯得与地面平行了，两条裤腿都挽到膝盖以上，双臂拼力压住车把，每迈一步，似乎都使出了浑身的劲儿。那人没穿雨衣，头上戴顶草帽。由于他上身俯得太低，无法看见他的脸，也不知他是个老头儿，还是个小伙儿。

他刚将车拉到大桥坡下，我便从树下一跃而出，大声问："要帮一把吗？"

他应了一声。我没听清他应的是什么，明白是正需要我"帮一把"的意思，就赶快绕到车后，一点也不隐藏力气地推起来。车上不知拉的何物，非常沉重。还未推到半坡，我便一点力气也没有了，双腿发软，气喘吁吁。那时我才知道，对于有些人来说，钱并不容易挣到。即使一角钱，也是不容易挣到的。我还空着肚子呢。又推了几步，实在推不动了，产生了"偷劲"的念头。反正拉车人是看不见我的。我刚刚松懈了一点力气，就觉得车轮顺坡倒转。不行，不容我"偷劲"。那拉车人，也肯定是凭着最后一点力气在坚持，在顽强地向坡上拉。我不忍心"偷劲"了。我咬紧牙关，憋足一股力气，发出一个孩子用力时的"哼唷"声，一步接一步，机械地向前迈动步子。

车轮忽然转动得迅速起来。我这才知道，已经将车推上了坡，开始下坡了。手推车飞快朝坡下冲，那拉车人身子太轻，压不住车把，反被车把将身子悬起来，腿离了地面，控制不住车的方向。幸亏车的方向并未偏往马路中间，始终贴着人行道边，一直滑到坡底才缓缓停下。

我一直跟在车后跑，车停了，我也站住了。那拉车人刚转过身，我便向他伸出一只手，大声说："给钱。"那拉车人呆呆地望着我，一动不动，也不掏钱，也不说话。我仰起脸看他，不由得愣住了。

"他"……原来是母亲。

雨水，混合着汗水，从母亲憔悴的脸上直往下淌。母亲的衣服完全淋透了，像从水里捞出来的一样，湿漉漉地贴在身上，显出了她那瘦削的两肩的轮廓。她胸口剧烈地起伏着，脸色苍白，大口大口地喘着气。

我望着母亲，母亲望着我，我们母子完全怔住了。

就在那一天，我得到了那支钢笔，梦寐以求的钢笔。母亲将它放在我手中时，满怀期望地说："孩子，你要用功读书啊。你要是不用功读书，就太对不起妈妈了……"

在我的学生时代，我一刻都没有忘记过母亲满怀期望对我说的这番话。

如今，二十多年过去了，我已经是个成年人了，母亲变成老太婆了。那支笔，也可以说早已完成它的历史使命了。但我，却要永远保存它，永远珍视它，永远不抛弃它。

长相忆

一

我家最早住在A城故乡区，那一带是城郊，平民区。住的是一间半草房，房产属于私人。那房子很破，很低，草顶多年未换，后墙倾斜着，靠三根木桩撑住。房东姓邹，是个怪老成的人，惧内。无论大事小事，家里家外，概由他女人一手遮天，说一不二。

房东女人四十多岁，又白又胖，长得不难看，爱打扮。整日打扮得体体面面的，东家西家串门子。她待人接物倒也随和，嘻嘻哈哈，仿佛对什么事都不往心里去，不计较似的。唯有一件事她是顶认真的——收房钱。每个月还差几天到月底的时候，她便走过我家来，扒着门框对母亲说："老梁家的，这个月又快过去了呀！"似乎在感叹白驹过隙，时光流逝。

母亲就堆下笑回答："房钱预备了呢！"

真亏得她月月叮嘱，我家的房钱是从未曾拖延过一天的。

我上三年级的时候，父亲随东北建筑工程公司调转到大西北，支援西北建设。父亲走后，家里的生活更拮据了。我向母亲要钱买两支铅笔或一块橡皮，母亲都迟疑，诘问，掂量再三才从兜里掏出角儿八分钱，然而房东的房钱照例一天也不曾拖延过。母亲是个刚强的女人。

第二年四月里的一天早晨，外面刮着五级大风，一阵比一阵刮得猛。先刮断了电线，屋里顿时陷入昏暗，接着刮断了窗前一棵碗口粗的小榆树。当时，母亲正和我们几个孩子围着炕桌吃饭，忽听一声巨响，一根房梁突然断了，断茬像柄锋利的砍刀，悬在母亲头顶。母亲惊骇得面色苍白，一把隔着桌子抱过最小的妹妹，紧紧搂在怀中，呆呆地翻起眼睛望着那根断梁。我和弟弟躲到墙角，缩成一团，瑟瑟发抖……

是房东家砖砌的烟囱被风刮倒，砸在我家房顶上。

当天，房东女人就花钱雇人把烟囱重新砌起来了，比原先还高，而我家被砸塌的房顶，她却并不过问。

“这可怎么住呢？这可怎么住呢？”母亲怀抱小妹，瞅着露天的屋顶，反复地叨咕这句话。我说：“叫房东家修，是她家烟囱砸的嘛！”母亲立刻捂住我的嘴，“不许乱说！这房子咱们一搬过来就讲好的，自维自修。”我知道，母亲怕得罪房东女人，又说：“那就雇人来修呗！”母亲叹了口气，“哪来许多钱啊！你爸爸每月才寄四五十元钱，刚够养活你们这几只小狼的！”母亲很伤心，很难过，落泪了。

傍晚，房东男人下班后走到我家来，讷讷地对母亲说：“他大嫂，你们趁早另找住房搬家吧，指望我们修是没门儿了！你知道，我是个当家不主事的，她早就想把这房子卖了呢！碍着面子，没好意思对你吐出过这话，现在她可有了借口了！这女人啊！搬吧，搬吧！”

房东男人走后，母亲哭了。母亲不敢大声哭，怕房东女人听到起疑心，说三道四。或者竟翻起脸来，将我们母子撵到露天旷地去过夜，也不是做不出来的。母亲一宿没合眼，翻一次身，叹一口气。第二天一早，母亲带着我和小弟小妹，来到了爸爸单位的留守机关。

在一间办公室，我们看见一个女人，坐在靠窗口的长条凳上。她五十来岁的样子，脸挺长，挺黑，挺瘦。头发抿到脑后，草草地挽了个鬏。衣服裤子都打了补丁，衣襟上有一小片油亮的污渍，想必是终日围着锅台转的结果。她的两眼又红又肿，显然刚刚哭过一大场，脸上泪痕未干，连鼻子尖都还红着。她见我们进来，略微移动了一下身子，把脸转向窗外，同时从兜里掏出条半干不湿皱巴巴的手绢，擦了擦眼睛。

留守机关的一位同志，听母亲讲述完了我们的处境，安慰说："你先回去好不好？我们很快就派人到你家去了解一下具体情况，也许，我们可以做做房东的工作，出人出料把房子修修。"

母亲带着我们出来不一会儿，那个女人也出来了，在楼梯口赶上了我们。"你男人也到大西北去了？"她问母亲。母亲阴郁地点点头。"这仨孩子都是你的？"她逐个儿端详我们。母亲又点了点头。她抱起小弟，一手领住我，和我们一块儿下了楼。在楼外台阶上，她放下小弟，对母亲怀中的小妹细瞅了几眼，说："小丫头长得怪俊呢。"

母亲回以凄然的一笑。

她劝母亲："大妹子，把心放宽点。人活在世上，谁也保不住一辈子摊上什么伤心事！你要是不放宽点心，焦急出个好歹，就苦了你这仨孩子了！”

当时，我幼小的心灵中，对这女人充满了感激。她虽然并没有给予我们什么实际的帮助，但毕竟安慰了母亲几句。我知道，世上有些人，是吝啬得连对别人的不幸施舍一点同情和怜悯都不肯的。

第二天，爸爸单位的留守机关果然来了一位同志，先到我家察看了被砸塌的屋顶和那根耷拉在半空的断梁，连口水也没喝，就到对门找房东女人洽谈。我和母亲也跟了过去。房东女人咬着肉嘟嘟的下嘴唇，看看母亲，又看看那位同志，寻思了半天，才慢吞吞地说："房子嘛，我是卖定了的，谁说什么也没用，我等钱花。不过，我倒有个两全其美的主意，你们单位出钱替她把房子买下不就得了嘛！"

那位同志问："你想卖多少钱？说个数我回去跟领导研究研究。"

房东女人一笑，伸出三个指头，"我们两家是多年的老房东房户了，给这整数就行！"

"三百？"

"三千！"

房东女人狮子张大口。那位同志听了，二话没说，转身就走。

母亲拉着我，也垂下头失望地往外走。房东女人在门口拽住母亲的袖子，悄声说："老梁家的，过了这村，就没这店了！你可得缠住他不放松呢！买下了，房子就归你了！到时候大兄弟那面分了房子，你们往西北搬家把房子一卖，不是白捞三千元嘛！”

母亲叹了口气，什么都没说。房东女人立时拉下冷脸，鼻子里哼了一声，把门重重地关上了。隔天，房东女人就把出卖私人房产的告示贴到街上去了，在我家门上也没忘贴一张。

母亲又带着我们来到了留守机关。一走进我们来过一次的那个办公室的门，母亲就哇的一声大哭起来。我们几个孩子也都齐声跟着哭起来。上次见过的那个同志，有点不知所措，一会儿劝妈妈，一会儿哄我们。他说情况他都知道了。他诅咒房东女人太刁，作为一个政府部门的工作人员，他无论如何也不能让房东女人敲公家这样一大笔竹杠。

母亲哭哭啼啼地说："那，叫我们大人孩子的住哪儿去呢？你总得替我们想个办法呀！"

"大嫂，你冷静点儿，我们是正在替你想办法的呀，不过，现在一时……"那同志为难地皱起眉，搓着双手。

"大妹子，搬到我家住去吧！今天就搬！"一个女人忽然插嘴说了这句话。

母亲停止了哭啼，扭过头去。我也停止了哭啼，扭过头去。上一次我们在此见过的那女人，从长条凳上站起来，走到我们跟前。她掏出手绢，挨个儿替我们擦干了脸蛋上的眼泪，还把小妹搂在怀里，亲了一阵。而后，她轻声对母亲说："大妹子，你先到我家去看看，要不嫌弃，今天就搬去吧！我家两间屋，可以给你们娘儿个腾出一间。"

"这，这，你家人口也不少，还有个老公公，不合适吧？"留守机关的那位同志说，接着，又对母亲说："这位大嫂姓陈，她男人也到西北去了，刚去不久，就因公……撇下她和两个孩子，还有个瘫痪的老公公。够困难的，我们正在联系给她找个什么工作……”

“别讲这些个了！”她打断那同志的话，拉住母亲的手，在母亲手背上轻轻拍了拍，说，“大妹子，咱们都是拖儿带女的人，谁也能体谅谁的难处。再说，我们男人又都撇家舍业的……”她眼圈又红了。

母亲泪汪汪地抓着她的手，不知说什么好。

“这、这……这可真叫我惭愧，这本来是我的责任，却……”那位同志很受感动。

二

陈大娘家住的也是两间草房，外加一间傍着山墙用土坯碎砖垒起来的“偏厦子”。她有两个男孩，一个比我大，叫正子，一个比我小，叫柱子。我家搬去之后，她就让两个孩子和爷爷住到一块，给我们腾出一间屋子。她自己，就在低矮阴暗的“偏厦子”里用凳子木板搭了个铺，跟炉灶水缸做伴儿。

她那老公公，已经七十多岁，脾气特坏。我们搬去那天，他躺在炕上用一口山东话大声咒骂：“我说正子他娘，这回男人可不在家了，没人管着你了，就做妖是不是？！你怎么敢给我领回几口人来住到家里？看我不爬起来打断你的腿！”骂得满院子里的大人孩子都听见，站在各家门口瞧热闹。那些大人，尤其那些女人，抿着嘴做出毫不掩饰的讥笑模样。那些孩子们，则学她公公的腔调互相骂着玩：“看我不爬起来打断你的腿！”

母亲尴尬得不行，恨不能叫搬家的车再把家具拉回去。我生平第一次体验到了那种无家可归、寄人篱下的卑微心理。

陈大娘被公公骂得满脸通红，用很抱歉的口吻对母亲说："大妹子，别理他，叫他骂去，你就当没听见！我一天里不知要挨多少骂呢，没人理他，他骂一阵就过去了！"她走进屋去，细声慢语地哀求公公："爹，你要生气，就打我吧，我站到炕边来给你打行不行？别骂了，叫邻居听见笑话咱家呢！那女人的丈夫和你儿子是一块儿到西北去的，她让房东撵出来了，拖儿带女的多可怜。遇到人在难处，咱们能帮就相帮一下有什么不对呢？咱们也有遇到难处的时候呀！"

对于丈夫的死，陈大娘守口如瓶，始终瞒着两个孩子和老公公，只是时常偷偷背地里落泪，或者在母亲面前述述心里苦衷。

"大妹子，你说往后的日子可叫我怎么过呢？那笔抚恤金总有一天要花光的，我不找到个工作干哪能行呢？可谁替我端屎倒尿地服侍老爷子呢？他虽说脾气不好，可老人总归是位老人啊，总是不忍心让他病在炕上受了委屈，他还能在世上活多久呢！"一天，陈大娘愁眉不展地对母亲说了这番话。

"她大嫂，别犯愁，有工作你就尽管放心出去干，家里的事儿我一概替你照应着！"母亲这样回答。她们两位做母亲的女人彼此之间的同情、安慰和相助，使我幼小的心灵极受感动。

不久，陈大娘果然出去工作了，在铁路上的一个什么厂子当翻砂工，据说那是很累的活。她每天早早地就带着半饭盒生高粱米和几块咸菜疙瘩上班，很晚才下班回家。工厂远，但她为了节省下车钱，天天都是走去走回，不论刮风下雨，大雪严寒。母亲忠实地履行着自己的诺言，一人操持两家的家务。

第二年，陈大娘的公公去世了。她十分悲伤，给公公从里到外做了簇新的装老衣裳，亲自给公公换到身上，还用白酒给公公洗了最后一次脸。入棺的时候，她虔诚地说："爹，媳妇平日里有服侍不周的地方，您老多担待吧！逢年过节，媳妇忘不了给您老烧纸焚香，上供培坟……"眼泪，从她那干涩的眼窝里慢慢溢了出来。

院子里的几家女人，聚在一起悄悄议论："这么个老爷子，死了还哭什么劲儿？早死一天，少受气，少挨骂，好像她还没当够受气包似的……"

又过一年，到了三年自然灾害的年头。那年我已念到小学五年级。饥饿真会使人做出蠢事来，我经受不住几十斤粮食的不可抗拒的诱惑力，涂改了购粮证，从母亲兜里偷出几元钱，到粮店去买粮。结果，粮证和钱当场被扣了。母亲万没想到我会干出这等事，把我狠狠打了一顿。之后，气得脸色铁青，犯了心绞疼的病。陈大娘下班后，得知这件事，慢慢在我家炕沿上坐下，愣怔了半天。

"孩子，过来。"她把我叫到跟前，瞅定我的脸说，"这就跟偷是一样的呀！"我哇的一声哭了。母亲从炕上撑起身子，对我说："你给我丢尽人了！滚出去！不许回家！"

陈大娘平和地说："孩子哭，证明他认错了，我领他把粮证要回来就是了。"

"这是你家的粮本儿吗？"粮店的人像审讯似的问。"不，不是……"陈大娘摇摇头。"那，这孩子是你家的？""不，也不是，是邻居家的孩子。""邻居家的？"对方不相信地端详了我一阵，又端详了陈大娘一阵，说："那，叫你邻居来！""这……同志，谁来还不一样呢，孩子已经认错了，就原谅他这一次吧！"陈大娘低声下气地请求。

"光认个错就行了？"对方瞅了陈大娘一眼，把粮证放进抽屉，锁了起来。不管陈大娘再如何请求，他都不理睬我们，陈大娘只好沮丧地领着我出来了。到门口，听到那人在屋里说："哼，八成她就是家长，怂恿自己的孩子干这种事！"听见这话，陈大娘在门外呆呆地僵立了半天。

她领着我慢腾腾地往家走，一句话都没说。走到我家门口，家里传出母亲嘤嘤的哭声。母亲是个要强的人，一定是因为我做了这么丢人的事，大大伤了自尊心。我真怕母亲兴许连寻死的心都会有。

陈大娘在家门外站住了。"咱们再回粮店去。"她声音很低，可是语气很坚决。"行……"我只讷讷地吐出一个字。下雪了，西北风飕飕的，我的手和脚都冻僵了。粮店已关门，只留下一道窄缝。办公室亮着灯，有人值班。我们推门进去，见一个人正从炉子下往外扒土豆。他抬起头，奇怪地问："你们有什么事？""同志，就求您把粮证还给我吧！"陈大娘用乞求的语气说。"粮证？"那人递过一把扫炕笤帚，"你们快扫扫身上的雪！坐到炉边儿来，烤烤火再说，看你们冻得可够呛！"

陈大娘替我打扫干净身上的雪，把我推到炉前，又拍打了几下自己身上的雪，将来意说明后，双唇抿得紧紧的，准备无论对方怎样训斥都不开口辩护。

"唔，是这样。"那人沉吟一会儿说，"我不知道粮证放在哪儿了呀！""就在那张桌子的抽屉里！"我鼓起勇气说。"是吗？”那人从裤兜里掏出钥匙，打开抽屉，取出粮证，“这个？”“对，就是！”陈大娘伸出一只手，想把粮证一把夺过去的样子。可是那只手还没有摸到粮证，又缩了回来，说，“同志，你就还给我吧，孩子真的认错了，他妈气得不行，你要训就训我好了！”那人说：“孩子知错就行了呗，还训什么，把粮证拿回去吧！”陈大娘接过粮证，揣进兜里，拉着我往外就走，像怕粮证又被夺回去似的。走到门口，她又站住了，转过身来，问：“同志，这……不会使你担责任吗？”

那人笑了，“这点主我还是做得了的。”他从煤炭里抓起几个热乎乎的土豆，走过来塞进我兜里，摸摸我的头，说：“记住，这样的事再也不能干了！”将我们送到门外。

天完全黑了，雪下得更大。路上，陈大娘低声问：“记住那位叔叔说的话了？”我无比羞愧地回答：“记住了。就是饿死，我也不做这样的事了……”

陈大娘叮咛：“回到家里，要跟你妈也说一遍这话！”

雪接连下了好几天。住雪那天，正好是元旦早晨。用北方人的话说，那天“冷得嘎嘎的”。我们两家把面口袋里的面抖落到一块儿，包了一顿冻萝卜馅饺子。饺子刚下锅，院子里来了个讨饭的。几户邻居都把门插上了，讨饭的挨家挨户敲门乞讨，没一家理他。最后，他来到我们两家门前。

“给一口吃的吧，好人们，我三天没吃东西了，救一条命吧……”讨饭的在门外冻得瑟瑟发抖，哀声乞求着。

陈大娘从窗子向外看看那讨饭的，再看看锅里翻滚的饺子，又逐个儿看看我们两家大大小小、馋涎欲滴的五个孩子，最后，目光停驻在母亲脸上。

母亲仿佛没有感觉到她的注视，转过身去，从墙角拿起笤帚，弯着腰扫着很干净的屋地。

讨饭的一直在门外哀苦地乞求着。

陈大娘走到门前，开了门，默默无言地把那讨饭的让进屋来。而母亲，这时已放下了扫地的笤帚，拿起了捞饺子的笊篱。

讨饭的一经陈大娘的默许在饭桌前蹲下，便如饿狼一般眈眈地盯着刚出锅的饺子。母亲看了他一眼，一声不响，将第一盘饺子递给了他。他一口一个，根本没嚼，顷刻吞光。母亲又递给他一盘，他又顷刻吞光。母亲愕然了，不禁瞥了陈大娘一眼。陈大娘轻微地叹了口长气。我们几个孩子不由也加快了吞吃的速度。

“给我一盘！”

“再给我一盘！”

“再给我一盘！”

我们同那讨饭人之间，为填饱各自的肚皮，展开了一场潜意识的竞争。

那讨饭的吃完第三盘饺子，忽然挨个儿盯视起我们几个孩子来。他不再瑟瑟发抖了，他眼中那种饿狼般的令人有点悚然的目光渐渐消失，眼神儿灵活起来，也柔和起来。母亲又递给他一盘十几个饺子，他接了过去了，一个也没吃，轻轻将盘子推给了小妹。

他忽然用那双肮脏的骨瘦如柴的大手捂住枯槁的脸，放声大哭，边哭边说：“我，我在和你们的孩子抢饺子吃呀……”他双膝跪在地上，接连磕了几个响头，慌得陈大娘和母亲同时

“唉哟”一声，赶忙拉起他来。

他临走时说：“好人们，我一辈子也忘不了你们！”

陈大娘从炕上拿起自己上班穿的棉工作服，塞在他怀里，他无论如何不肯收受。陈大娘竟有些生气地说：“就你那身单薄的衣裳，饿不死也得冻死！”他才含着眼泪穿到了身上。讨饭人走后，陈大娘说：“看样子是农村人。”母亲说：“像是的。”陈大娘说：“遇到这样的大荒年，没有农民养活，城里人不知会饿死多少！”母亲说：“就是的。”她们在饭桌前坐下时，饺子已剩下不多了。陈大娘只吃几个，就放下了筷子，说是匆匆忙忙地包了顿饺子，现在饿劲儿过去了，一个也吃不下了。母亲也放下了筷子，埋怨陈大娘把饺子馅拌咸了，吃了几个就“齁死人”了。她喝了满满一大碗饺子汤。

三

自然灾害的三个年头总算熬过去了，被饥饿感压迫的人们都在生活中缓过口气来。我们两家的孩子也都长大了，母亲和陈大娘脸上经常流露出某种希望的微笑。可不久后，陈大娘却失业了。她所在的那个工厂下马了，她虽然辛辛苦苦在那个厂干了许多年，到头来却还是个临时工，被解雇了，只领到了几十元钱的照顾费。

为了生活的女人，尤其那些做了母亲的女人们，普遍具有一种令人钦佩的不肯向命运低头的精神。陈大娘用当年节俭下的丈夫的部分抚恤金，组织起一个加工棉胶鞋帮的街道工厂。

为了这个小小的街道手工作坊的诞生，她四处奔波，同有关部门层层交涉，又动员家庭妇女们参加。这个生活在最底层的普普通通的女人，充分显示出一种卓越的组织和鼓动才干来，街道工厂终于宣告正式成立了。妇女们凑钱买下了某商店的一个废弃的仓库当厂房，各自从家中把缝纫机搬到了厂房里。一向花钱手紧的母亲，那天慷慨地给了我们几个孩子三元钱，叫我们买鞭炮到破仓库前去放。陈大娘受到妇女们的信任，以发起人的资格被推选为厂长。仅仅一年之后，那些妇女们便从这小小的街道工厂得到了每月很实惠的收入，她们有了相当可观的基金。陈大娘雄心勃勃起来，计划要在第三年修建一个像样的厂房了！

然而，她的计划还没有来得及付诸行动，“文化大革命”就在那一年开始了。这个小小的街道工厂，也未能幸免那股巨大的政治龙卷风的扫荡。

一天一队红卫兵雄赳赳地开了来，声称这个小街道工厂也不能成为政治避风港。如果这里的革命群众不主动起来造反，揪出一至两个“微型走资派”的话，他们就将实施强硬手段，采取必要的革命行动了！胆小怕事的女人们纷纷把缝纫机又搬回家里去，不再来上班。这个小小的街道工厂面临倒闭的危机。这无疑对陈大娘是一种巨大的打击，因为那是她的事业，她赖以维持生活的事业。一些不愿离开这个小街道工厂的女人们（她们和陈大娘一样，是把加工棉胶鞋当作养家糊口的事业来干的），三个一帮五个一伙来到陈大娘家，跟她商议如何拯救事业的办法。她们所有人出的都是同一个计策，要陈大娘当一回“微型走资派”，接受一次批判和游斗。表面看来有点所见略同，不谋而合的意思，实则她们在和她这位厂长商议之前，分明取得了一致。她们保证过后还照样把她当厂长看，说这样做实实在在是出于无奈，所谓周瑜打黄盖，不过是苦肉之计。

陈大娘沉吟了许久，问：“这样做，当真就能保住咱们这小厂么？”

她们异口同声地肯定地回答——能！

陈大娘说：“只要能保住咱们这小厂子，把我怎样都行。”

“为了像回事，要给你戴一顶高帽子。”

“戴就戴吧。”

“还得挂牌子。”

“那就挂。”

“还得剃鬼头。”

“剃。”

“抹不抹黑脸呢？不抹黑脸恐怕不行吧？”

“那……就抹吧。”

“游斗的时候，你手里还得拿个破盆。”

“嗯。”

“你得一边敲，一边自己说：‘我是走资派，我有罪，我该死。’你说吗？”“我……说……”就这样，像演街头戏一样，她，被那些女人们批判了一次，押到大马路上敲锣打鼓地游斗了几回。她是那么镇定那么从容地忍受了这一切。有次在街头碰见她的正子和柱子，她还对他们喊：“别贪玩了！回家把豆角择出来，等我回家做晚饭！”

正子和柱子，两眼泪汪汪地看着游斗妈妈的队伍走过去。

街道工厂可以继续办下去了，那些女人们却迫于当时的

“革命形势”，不能实行她们保证继续让她当厂长的诺言。她非但不能再当厂长，而且因为事实上已经成为一个“走资派”（尽管是微型的，但到底属于走资派），连继续当一个工人的资格也被剥夺了。她第二次失业了。这种打击将她彻底击垮了。她完全变成了另一个人，一个石头一样的人。她整天面对镜子，注视着自己被剃了鬼头的人不人鬼不鬼的形象发呆，不说一句话。连我母亲的劝慰，似乎对她也不起什么作用了。母亲因此恨透那些女人们，提起她们就咬牙切齿，用最可怕的语言加以诅咒。那些女人们毕竟不全都忘恩负义，每到月底，她们之中便会有人主动给陈大娘送钱，或者亲自偷偷送来，或者打发孩子送来，有的送十元，有的送五元，也有的送三元两元。陈大娘一家，陷入了这种依靠施舍一般的困境。同院的人们都说：“这女人早晚有一天会疯。”那时，我的父亲已从大西北某城市来过信，说在那里已经申请下了房子，盼望我们速往团聚。母亲吩咐我给父亲回了一封信，信中说：“即使夫妻父子们一辈子两地分居，也不能在此时离开陈大嫂。”幸亏有我的母亲像亲姐妹一样关心着她，同情着她，照料着她……

又过了半年，二轻局所属下的一个工厂，看中了我们院子那块地皮，要在那里建一个二层楼的厂房，我们全院的人家便都成了动迁户。几户邻居，把动迁看成一个千载难逢的占大便宜的机会，提出各种各样非分的条件刁难厂方。厂方组成动员小组，挨家挨户说服动员，请求谅解，降低条件。可那几户人家形成了攻守联盟，任凭厂方好话说尽，他们早有一定之规。

动员组从我家和陈大娘家离去后，哑人一样的陈大娘，竟主动开口对母亲说：“大妹子，别人家不搬，咱两家先搬吧！

这厂子是大集体，厂房盖不起来，生产不出东西来，那些工人们就开不出工资啊，咱们得为那些工人们想想。农民不种田，工人不做工，咱们这个国家是要垮的呀！真到那一天，孩子们都没指望过好日子……”

母亲一听陈大娘说出这番话，立时就搂抱住她失声哭起来，边哭边说：“陈大嫂，别人都说你会疯，今天听你这番话，还是那么明白事理！我听你的！咱们就提一个条件，只要还能让咱两家住一块儿做邻居，不管搬到哪儿，咱们二话不说就搬！”

厂方很快给我们找到了房子。我们搬家那一天，全院邻居都不帮忙，大人孩子都站在自家门前，抱臂旁观。一张张脸全都耷拉着，冷冷地瞧着我们装车，仿佛我们两家人在他们心目中全都是可耻的叛徒一样。

杜家的老太太，颠跶着一双小脚，嘴里不干不净地指桑骂槐，骂我们两家准是受了厂方的贿赂，存心动摇他们的联盟，破坏全院的好事。母亲不屑临分离再同那老刁婆大动干戈，装没听见，只是催促我们几个孩子快装车。

陈大娘走到那老太太跟前，和气地说：“他杜家奶奶，我没记错的话，您都七十三了，人过留名啊！”

那老刁婆，听了一怔，张张嘴还想骂出什么来，可能一时间再想不出什么骂人话了，便默默地悻然闪进家里去了……

我们两家搬走之后，我和正子很快就一块儿下乡了。我每次回城市探家，一放下提包，就立刻到隔壁去看望陈大娘。在我第三次探家期间，陈大娘去世了。

母亲连夜赶做了一套新衣，替陈大娘穿上。母亲还替她洗了脸，梳了头，剪了手指甲脚指甲……一个女人能替另一个女人的死所做到的一切事情，母亲都一丝不苟地做到了。

她死得很泰然，没有经受任何痛苦。她的遗容非常安详，嘴角挂着最后一抹微笑，那是对一切人一切事都予以宽容的微笑。

如今，陈大娘死去多年了，在闷热的夏夜，我记下这篇文字，向一个曾经生活在我们国家九百六十万平方公里土地上的，社会最底层的，普普通通的，很黑很瘦的女人，表述我大的敬意和深的哀思。同时我真诚祈祷，在我和我的后代们身上，多多少少保留一点点陈大娘身上所具有过的什么，哪怕一点点……

恰同学少年

“我常想在纷扰中寻出一点闲静来，然而委实不容易。目前是这么离奇，心里是这么芜杂。一个人做到了只剩回忆的时候，生涯大概总要算是无聊了罢，但有时竟会连回忆也没有……”

这是鲁迅为他的《野草集》所作的“小引”。

文中还有一段，进一步告白他的回忆感觉：“我有一时，曾经屡次忆起儿时在故乡所吃的蔬果：菱角、罗汉豆、茭白、香瓜。凡这些，都是极其鲜美可口的；都曾是使我思乡的蛊惑。后来，我在久别之后尝到了，也不过如此；惟独在记忆上，还有旧来的意味留存。他们也许要哄骗我一生，使我时时反顾。”

鲁迅写这“小引”时是一九二七年的五月，在广州。

鲁迅文章的遣词，有时看似随意，然细一品咂，却分明是极考究的。比如形容街上的人流如织为“扰攘”，形容屏息敛气为“悚息”，而形容隐蔽又为“伏藏”。他是不怎么用司空见惯的成语的，每自己组合某些两字词，使我们后人读到，印象反比四字成语深刻多了。一九二七年的中国，居然用“离奇”

二字来加以概括，这也是令我有“离奇”之感的，我咀嚼出了吊诡的意味。

我对八十多年以后的中国的当下，往往也生出“离奇”的想法。又往往，和当年的鲁迅一样，亦觉“心里是这么芜杂”。并且呢，同样常被回忆所纠缠，还同样时觉无聊。我怕那无聊的腐蚀，故在几乎“只剩回忆”的日子，也会索性靠了回忆姑且抵挡一下无聊的。

近来便一再地回忆起我的几名中学同学。在我的中学时代，和我关系亲密的同学是刘树起、王松山、王玉刚、张云河、徐彦、杨志松，我写下的皆是他们的真实姓名。我回忆起他们时，如鲁迅之回忆故乡的菱角、罗汉豆、茭白、香瓜，那都是养育百姓生命的鲜美蔬果。而我的以上几名中学同学，除了徐彦家的日子当年好过一些，另外几人则全是城市底层人家的儿子。用那些生长在泥塘园土中的蔬果形容之，自认为倒也恰当。与鲁迅不同的是，我回忆他们与思乡其实没什么关系，更是一种思人的情绪。自然，断不会生出“也不过如此”的平淡，而是恰恰相反，每觉如沐煦风，体味到弥足珍贵究竟有多珍贵。

我和树起在中学时代相处的时光更多些。我家算是离校较远了，大约半小时的路。树起家离校更远，距我家也还有二十分钟左右的路。那么，我俩几乎天天结伴放学回家是不消说的了。走到我家所住那条小街的街口中，通常总是要约定第二天在街口互相等，一块去上学。路上是一向有些话题可说的——学校里的事，班级里的事，各自家里发生的烦恼，初中毕业后的打算，谁在看一部什么小说，等等。有时什么也不说，只不过默默往前走，那是要迟到了的情况下。还有时一同背着课文或什么公式往前走，因为快考试了。

树起家在一片矮破的房屋间，比我的家还小，还不成个样子，简直可以说成是土坯窝。回到那样的家，差不多可形容为一头钻进窝里。但在当年的哈尔滨，那样的人家比比皆是，所以小儿女们并不觉得自己多么可怜，并且照样爱家、恋爱，在乎家之安全和温暖。树起和他的老父母以及弟弟、妹妹住在一起。当年他的父母亲都已经快六十岁，在我们几个同学眼中是确确实实的老人了。然而他的父亲还在工作着，是拉铁架子车的。那种车在当年是哈尔滨市的主要运载车，一般情况下不是谁有钱就容易买到的，得凭证明，属于"劳动资产"。他父亲刚一解放就是拉那种车的车夫，那车对于他父亲犹如黄包车之于祥子，只不过他拉的不是人而是货物。

我和树起一起上学去，有时他会给我一个大的蒸土豆，或半块烙饼。若是夏天，或一个大的西红柿，一条黄瓜。那是挨饿的年代，给人任何可吃的东西都是一份慷慨，一份情义。他心里就是那么的有我。记得有次他还给了我几块很高级的软糖，我极享受地吃着时，他告诉我他的三姐结婚了。他有四位姐姐，这着实是令我们几个羡慕的。

树起学习很好，数理化及俄语四科成绩在班里一向名列前茅。他耿直、善良，具有天生似的同情心，眼见不正义的事他是很难做到不上前干涉的，而发现一位老人或孩子当街跌倒了，他是那种会赶紧跑过去扶起来的少年。"文革"前，我们之间从没发生过争论。这么好的同学，我和他争论什么呢？他对人对事的看法，我一向认为是客观公正的。

"文革"中，他的表现也很"特别"。他是班里的好学生，完全置身事外不行的。他从没亲笔写过大字报，别人写了让他签名，以示支持，他也要认认真真地看一遍，倘觉得批判的内容不符合事实，那么他就会拒绝签名。倘觉得其中一句话甚或一个词对被批判的人具有显然的侮辱性，他竟会要求对方将那句话或那个词涂抹了。他这一种“特别”，当年深获我的敬意。

但我们之间发生了一次激烈的争论，在国家主席刘少奇也被“打倒”之后。

有次在我家里，我说了一句对伟大领袖极不敬的话，并表达了这么一种思想——如果一个人将当初与自己一同出生入死的革命战友几乎逐一视为敌人了，并且欲置于死地而后快，那么我对于这样的领袖是没法崇敬的。我还指出，“凡是敌人反对的，我们就要拥护；凡是敌人拥护的，我们就要反对。”这样一条“语录”是“荒唐”的……

“文革”前我已看了不少外国小说，那些文学作品对我潜移默化的影响，在“文革”中凸显了。

树起当时瞪大双眼吃惊地看着我，半晌才说出一句话：“你再也不许这么胡说八道！”

我说：“这不是在家里，只对你一个人说嘛。”

他说：“我没听到，什么都没听到。你发誓，以后再也不说类似的话了，对我也不说了。”

直至我发了誓，他才暗舒一口气。当年他替我极度担心的样子，以后很多年都经常浮现在我眼前。然而事情并没完，后来他又召集张云河、王松山、王玉刚三人，再次郑重地告诫我。

云河问：“晓声他说什么不该说的话了？”

玉刚说：“别问了呀，肯定是反动的话啊！”

而松山则说："这家伙，一贯反动，哎你想哪一天被打成现行反革命啊？"

云河又说："也不见得就一定是反动的话呢？树起你说来我们听听，一块儿评论评论，果然反动，再一起警告他也不晚嘛！"

树起张张嘴，摇头道："我不重复！"

我只得自己承认："是有点儿反动。"

树起又说："你如果哪天被打成现行反革命了，让我们几个怎么办？跟你划清界限？那我们难受不？揭发你，那我们能吗？我们几个都不会在政治上出什么事，就你会！你今天不当着他们发重誓，我不放心……"

他们三个，见树起说得异常严肃，一个个也表情郑重起来，皆点头说对，之后就一起看着我，等待我发誓……

当年我们五个初三生，真是好像五个拜把子兄弟。"情义"观念怎么一下子就在我们五个之间根深蒂固了，如今记不清楚了。似乎，起初主要是由于我们的家在上学去的同一路线上。虽说是同一路线，但上学是不可能一个找一个的，那样我和树起要多走不少路。但放学回家，则要从容多了，便常常一起走。先陪云河走到家门口，依次再陪玉刚和松山走到家附近，最后是我和树起分手。寒来暑往，一个学期又一个学期走下来，共同走了三年多，走出了深厚的感情。另外的原因是，我们都是底层人家的孩子，家境都近乎贫寒。不管一块儿到了谁家，没什么可拘束的，跟回自己家了差不多的随便，家长们对我们也都亲热。但我们之间的"情义"，主要还是在"文革"中结牢的。云河、松山和树起一样，也是班级数理化及外语四科的尖子生。玉刚则和我一样，综合成绩也就是中等生。在“文革”初期，所谓“中央‘文革’领导小组”发表的文件中说——初、高中生们以后或升学或分配工作，皆要看“文革”中表现如何。弦外音是，表现不好的，那时会有麻烦。

这无疑等于“头上悬刀”。

为了不至于落个“表现不好”的结果，大字报起码总得写几张吧？然而对于云河、松山、玉刚三个，让他们提起毛笔亲自写大字报，如同让他们化了妆演街头戏。他们平时都是讷于语言表达，即使被迫做次表态性发言，往往也会面红耳赤，三分钟说两句话都会急出一头汗来，当然也会急出别人一头汗来。于是写大字报就成了我和树起的义务，他们只管签名。我一个人不时在他们的催促之下写一张，我们五名学生的表现也就都不至于被视为不好了呀。每次都是，我起草，树起审阅，我再抄。树起说“没问题”，他们就都说“完全同意”。

其实呢，我每次都将写大字报当成写散文诗，也当成用免费的纸墨练五笔字的机会，从不写针对任何具体个人的大字报。

玉刚的话说得最实在，他当年曾一边看着我写一边说：“那么高层的事，咱们知道什么呀，还是晓声这么虚着写的好！”而松山说：“‘啊’少几个也行，你别往纸上堆那么多词，看着华而不实。”云河则说：“词多点儿可以的，蒙人。该蒙人的时候，那就蒙吧。不多用点儿词，怎么能显得激情饱满呢？”树起做权威表态——“那就少抄几个词，找一段语录抄上，反而显得字多。”

我们自幼从父母那儿接受的朴素的家教都有这么几条：不随帮唱影，不仗势欺人，不墙倒众人推，不落井下石。

且莫以为上面那些词只有文化人才能说出来，谁这么以为，真是大错特错了。事实上在城市贫民大院里长大的我们，从小经常听到目不识丁的大人们那么评说是非对错。在民间，那不啻为一种衡量和裁判人品的尺度。我们都是“闯关东”的山东人的儿子，我们的父母尽管都是没文化的人，却都知道如果在做人方面失败了，那么在生存方面便也不会有什么希望，故都自觉地恪守某些做人原则。

多少年后，我反思“文革”时悟到，我们实在是应感恩父母。中国，也实在是应感恩某些恪守世道原则的底层人民。若当年某些尺度被彻底颠覆，中国之灾难将更深重可悲，所幸还未能彻底。

据说评定一名学生在“文革”中的表现如何，还要看他是否主动与工农相结合过。我们五人中，树起是团员，在政治方向上，我们都与他保持一致。

树起认为，如果严格按照“学生也要学工、学农”的“最高指示”去做，学工强调在前，我们应该先学工。

于是我们去了松江拖拉机厂，那完全是没有任何报酬的义务性劳动。我们是不怕累的，因为累而多吃了家里的口粮也在所不惜。但，厂里的工人阶级分裂为势不两立的两派，一派人多势众，叫“革命造反团”；一派人少，以老工人为主，叫“红色造反团”。“红色”的先是被“革命”的视为“不可救药的保守组织”，后又干脆被宣布为“反动”的了。偏偏我们参加劳动的那一车间里，基本全是“红色造反团”的老工人。他们对我们很爱护，我们觉得他们都很爱厂，都很可敬。学工的学生只埋头苦干是不行的，还要积极参加工厂里的“造反劳动”。“革命”的造反，“红色”的也造反，究竟应该跟随哪一派，我们困惑了，为难了。

树起倒很民主，其实也是没了主张，他说“听大家的”。云河说：“我觉得曲师傅一点儿都不反动，是个好工人，使人家伤心的事我不做。”曲师傅是带领我们劳动的老工人。松山说：“我觉得这车间里的老工人个个都是好工人。”玉刚说：“我的看法和他俩一样。”树起说：“我明白你们三个的意思了。晓声，你的态度呢？”我果断地说：“咱们支持‘红色’的，帮他们把‘反动’的帽子还给‘革命’的！”

于是我们在“革命”的和“红色”的之间做出了坚定的选择。若能使这个厂的一批老工人不再被视为“反动”的，我们觉得也不枉学工一场了。

我又写起“文革散文”来，仿“九评”的风格，一评二评三评连续《评这些老工人谁都不反动》。看的人居然还很多，反响很大。

曲师傅不安了，老工人们感动了，他们劝说我们没必要卷入厂里的派性斗争。而我们心中都充满了政治正义感，将那种卷入视为已任，还都有股子不达目的誓不罢休的劲头。

有天早上我们又结伴去厂里，在大门口被阻拦住了。前一天夜里“革命”的一派单方面夺权了，“红色”的一派都被集中起来，办所谓的“悔过学习班”了。

我们五名中学生，被些青年工人打跑了。后来，厂里连续贴出了评我们的大字报的大字报，也仿“九评”的风格，曰一评、二评、三评……

那个冬季，我们多次去曲师傅家打算看望他，可直到最后一次才见到他。他的思想很顽固，被放出得晚。他没写“悔过书”，“革命造反团”的头头是他徒弟，拿他没奈何，没写也只得恢复了他的自由……

来年，也就是一九六八年的五月，黑龙江生产建设兵团到哈尔滨甫一展开动员，我就报名下乡了。一则是，家里生活太困难了，太缺钱了，我急切地要成为能挣钱养家的人；二则是，我对“文革”厌烦透了。因为我每天所耳闻目睹之事，非是闹剧是悲剧。即使以闹剧开始，到头来也还是会以悲剧结束，于是有人搭赔上血和命。

我不但第一批响应了“上山下乡”的号召，而且此前还曾是为全班同学服务的“勤务员”，所以有了一种光荣的资格——参与为全班同学做政治鉴定，这项工作由军宣队员主持。鉴定分为四等：无限热爱伟大领袖毛主席、热爱伟大领袖毛主席、积极参加“文化大革命”、参加了“文化大革命”。措辞的区别，令人不禁联想到官方悼词的措辞区别。军宣队员说，别看多了“无限”或少了“无限”，多了“积极”或少了“积极”，一入档案，随人一生，将来的用人单位，凭这种微妙区别，一看就会心知肚明，决定怎样看待谁。

既然兹事体大，我岂能掉以轻心？

树起是没问题的，但在议到云河、松山和玉刚时，军宣队员说有人反映他们属于不常到学校参加运动的同学。

我据理力争，说他们的运动表现起码和我是一样的。我写过的大字报上他们都署了名的，我们是一块儿去学工的。如果他们的鉴定中没有“无限”和“积极”四个字，那我的鉴定中也宁可没有，有了对他们不公平。

在我的极力争取下，他们的鉴定中也有了当年被认为举足轻重的四个字。

我的坚持感动了一位参加做鉴定的校“革委会”的老师，他提议在我的鉴定中加上了“责人宽，克己严”六字。

不久就要分别了，四个好同学对我依依不舍，几乎天天都到我家去一次，没事也去，没什么话说就陪我一块儿沉默。他们因为没报名和我一块儿下乡，都挺内疚，仿佛愧对了我们之间的友情似的。我安慰他们，各家的具体情况不同，没人逼到头上，何必非走？何况，树起、云河、松山，他们学习都特好，考高中考大学是手拿把掐的事。他们的家长也都有意培养他们，那为什么要放弃志向呢？至于玉刚，他只有姐妹，是家中唯一的儿子，他父亲长年生病，不走也有不走的原因，万一不久能分配工作了，那不是更好吗？

我这么劝慰，他们也就释然了。

和我同一批下乡的只有杨志松，那一批全校才走了十二名学生，我们班就我们俩。

志松也来过我家一次，恰巧树起他们四个在。志松家住学校附近，所以此前他与我们接触较少。但在全班男生中，我们都觉得最与我们性情投合的，非他莫属。

树起郑重地说：你来得正好，有头等大事托付给你。

志松愣愣地问什么事。

云河反应快，立刻就明白什么事了，朝我翘翘下巴说：“我们把他托付给你。没我们在身边了，你一定要多操点儿心，别让他哪天被打成‘现行反革命’……”

松山附和道：“对对，这可真是头等大事！别的方面我们对他都没什么不放心的，就是他这里边太复杂了。”他指了指自己的太阳穴，“只想不说还行，万一不该那么想的还偏要那么想，还要忍不住说，后果可就严重了！”

玉刚最后说：“我们授你权，他一胡思乱想，你就替我们敲打他。”

志松乐了，指点着我说：“你听到没有？听到没有？他们几个把你交给我了！如果到了广阔天地你还胡思乱想，想了还说，看我不收拾你！”

当年的我们，本不过个个都是贫家子弟，而且又都是中学生，哪里谙知政治风云？又怎么能参与什么国家大事？于我，实在是由于耳闻目睹冷酷乱象，厌恶之极，也压抑之极。每欲一逞少年之勇，以图释放罢了。偶尔有反抗意图，却枉有此心，并无此胆。顾及家境，于是顾及自身，学做一个隐忍之“愤青”。于树起、云河、松山、玉刚四个，实在是怕他们的情义册上，哪天不得不划掉我的姓名，痛心不已。

树起是一心要做“革命人”的，但“革命”在他那儿是被充分理想化了的，他想做的是完全符合人道主义甚至足成楷模的“革命人”。“革命”一表现为凶恶，他内心就挣扎了，郁闷了，认为是“革命”的耻辱，不屑与之为伍了。

而云河、松山、玉刚三个，只想本本分分做人，什么“革命”不“革命”的，都当成是“专门好那个”的人的事。何况那样的所谓“革命”，在他们看来是“集体演戏”。他们做“逍遥派”做得心安理得，志松也是那样。

当年倒是他们比我和树起都活得超然，活得明白，活得纯粹。

志松的父亲和树起的父亲一样，也是拉车的，当年也快六十岁了。志松上有两个哥哥两个姐姐，下有一个妹妹。他当年下乡的想法也和“革命热情”无关。那一年他父亲病了，看起来以后不能再干拉车运货那么辛苦的活了，而大姐二姐大哥都已成家，各自小家庭的日子也都过得很拮据，二哥刚参加工作，每月仅十八元工资。仅以学习成绩而言，他也是那类升高中考大学不成问题的学生，但考虑全家今后的生活，他下乡的决心毫不动摇。

有他这位同班同学跟我一块儿下乡，真是我的幸运。知青专列一开，车上车下一片哭声，我俩却是微笑着向同学们挥手的，仿佛只不过是很短暂的离别。

志松在哭声中对我说：“到了地方，咱俩都得要求分在一个连队啊！”

我说：“当然，树起他们托付你管住我的嘴嘛！”

事实上，到了北大荒以后，我没太让他操心过我的思想和我的嘴。远离了城市，“家愁”不再是每天直接面对的了，令我嫌恶的“文革”现象也看不到了，心情便豁然开朗了。不太习惯的是每天三顿饭前必得正儿八百地“敬祝”一番，以前在家里吃饭完全可以不这么做，但到了连队，别人都这么做，不习惯也得习惯！在食堂吃饭的老战士们原本也不“敬祝”的，见知青们如此这般，也只得效仿。而这一“革命”的日常仪式，是由几名女知青带的头……

志松倒是很适应，我看出他还有几分喜欢那样，当然他也看出了我的不情愿。某日，他背着人问我：“敬祝时你为什么好像是被迫的？”我告诉他，我读过一本法国人写的关于宗教的书，书里说，一日三餐是每人每天最重要的事，三餐不保，人心发慌。宗教规定的餐前祈祷，从心理学上看，是一种日复一日的暗示方法，而使人革命，不该借助宗教手段……

他问：“你怎么看到的那本书？”

我说：“我家隔壁收破烂的邻居收回来的一本残书，没头没尾。我一翻，觉得里边在讲我从不知道的知识，所以带回家读完了。”

他又问：“后来书呢？”

我说：“一本没头没尾的书，不值得收藏起来，做饭时烧了。”

他一拍我肩：“烧了就对了！我也同意你的想法，但那你也得装出高兴‘敬祝’的样子。还有，绝不许你对别人说刚才那番话！忘了那本书里怎么写的，你要把‘敬祝’当成好玩儿的事，我就是当成好玩儿的事。或者，内心里也可以这么想，咱们真敬祝的是咱们爸妈。”

我愣了愣，原来他心里是这么想的！

从第二天，一日三餐他必叫上我和他一块儿进食堂。由他首先大声说出头几句，我只跟着说“万寿无疆”四字。

这种“仪式”并没持续多久。麦收一开始，知青们都领教了什么才叫“累”。一累，就都没坚持下去的精神了……

我下乡前，家中的被褥勉强够用，所以我只带走了一床旧被子，没带褥子。第二年的布票棉花发下来之前，一年多的时间里，我一直睡在志松的半边褥子上。半夜一翻身，每每和他脸对上脸，正所谓“同呼吸，共命运”。他家替他考虑得周到，他带的东西全。而他的，基本上也可以说是我的。他的手套、袜子、鞋垫、短裤、衣服，我都穿过用过。他还多次向其他知青声明：“我有保护梁晓声的责任啊，谁欺负他就是欺负我！”尽管没什么人欺负我，但他是真的准备随时为我出头。

一九六九年的十月末，又一百多名知青于深夜被卡车送到了连队。他们还没全从车上下来，我和志松就听到谁在一声接一声喊我俩名字。循声过去，车上站着云河、松山、玉刚三个！

沉默寡言的玉刚一见我俩，乐了，大声说：“要是你俩不在这个连了，那我们仨不下车了，肯定再坐这辆车返回团部，打听清楚你俩在哪个连后，要求团里重新把我们分过去！”

我和志松自是喜出望外，逐个拥抱他们，激动得流泪。

他们三个是可以到离哈尔滨较近的某个团的，为了能和我俩在一起，却报名到了离哈尔滨最远的团。

志松埋怨他们没先写信告知一下。云河说“要给你俩惊喜嘛！”松山老成，说因为是临时决定，走得急，只从志松家和我家各要了一封带给我俩的家信就来了。

那时树起已如愿在上高中，不过仅仅一年之后，他也下乡了，而且失去了来兵团的机会，去黑龙江省饶河边一个以鄂伦春族为主的小村插队了。我们接到他寄自那个小村的信后，怅然若失，觉得这实在是我们的也是他的大遗憾。

如今回忆起来，我在兵团最觉舒心的时光，便是那以后的两年。与四个亲如兄弟的好同学朝夕相处，日子虽然艰苦，却也有着快乐的色彩。友谊确如一盆炭火。

那两年我如同有着多位家长的独生子——我因家事而犯愁了，他们几个会围着我进行安慰和劝解，志松还会为我唱歌；

冬天到了，云河见我的棉裤太破了，处处露棉花，就将他自己舍不得穿的，兵团发的一条新棉裤“奉献”给我了；玉刚和松山亲自动手，为我缝做了一床新被子；我要探家了，都主动问我打算往家带多少钱，由他们来凑；我探家回来了，路上将志松家捎给他的包子吃得一个不剩，他也只不过抱怨：“你这家伙太不够意思了吧？怎么也得给我们一人留一个呀！”……

但那样的时光仅仅两年多就结束了。

先是志松调到团报道组去了，在国庆和春节的长假期间才有机会回连队看我们几个，最多也就住一两天。接着云河调到别的连队当卫生员去了。两年后，志松上大学了，松山和玉刚调往其他师的化工厂去了。

而我，则经历了当小学老师、团报道员以及被“精简”到木材厂抬大木的三次变动。

正如我亲密的同学们所经常担忧的，我的知青生涯落至孤苦之境，最终竟真是由于思想、由于话语。但即使在那两年里，我的思想也还是有着一处可以安全表达的港湾，这便要说到徐彦了。

徐彦的家境，在我们班级里当年也许是最好的了。他父亲是市立一院的医生，他母亲原本也是医生，因为患有心脏病，长年在家休养，但享有病假工资。而他哥哥曾是海军战士，复员后分配在哈市著名的大工厂里。徐彦是我们班几个没下乡的同学之一，在他哥哥工作的厂里当车工。我在班里当“勤务员”时，几乎去遍了全班男女同学的家，徐彦的家当年是最令人羡慕。不只我羡慕，每一个去过的同学都印象深刻，羡慕不已。

房子倒不大，前后皆有花园，是有较高地基的俄式砖房。前窗后窗的外沿，砌出了美观的花边，门前还有木板的台阶，冬季一向扫得很干净，夏季徐彦还经常用拖布拖，那大约是他主要的一项家务。那时的哈尔滨，很少有人家能直接用上自来水，徐彦家能，而我们几人从小抬水，长大后也以挑水为己任。我们在中学时都没穿过皮鞋，但徐彦既有冬天穿的皮鞋，也有夏天穿的皮鞋。不论冬夏，他一向衣着整洁。

最令我们向往的，是他自己有一小套屋子可住。不是一间，而是有"门斗"、厨房，分里外间的单独一小套，并且也是木地板。说到地板，我们几个的家里竟都没有。云河家的屋地要算"高级"一点儿了，却也只不过是砖铺的。另外几家的屋地，泥土而已。那样一套小屋子，与他父母和妹妹住的屋子在同一个大院里。在那个大院里，几户有四五口人的人家，所居便是那么一套小屋子。他居然还拥有一架风琴，就在那小屋子里。总而言之，在我们看来，他当年实在是可以算作"富家子弟"了。他还是美少年，眉清目秀，彬彬有礼，我们几乎从没听他大声说过话。他如果生气了，反而会不说话了。他的性格更像沉静的女孩子。

倘以我们的学校为中点，我们几个的家在同一边，而他的家在另一边。每天放学，一出校门，我们和他便反向而去了。在学校里，课间我们和他也是不太主动接触的。他终究还是成了我们情义小团体的一分子，起先是由于"文革"。"文革"中我们的身份虽然还是中学生，却没课可上了，于是以前不太来往的同学之间，相互也开始靠近了。后来，则是由于我和他的关系一下子变得亲近了。我们初一下学期，我的哥哥患了精神病；我们初二上学期，他才读小学三年级的妹妹，因为在学校里受了点气，隔夜之间也不幸成了小精神病患者。我母亲听我说了，非要我带她去徐彦家认认门，为的是以后能经常向他父母取经，学习怎样做好患精神病的儿女的家长。无奈之下，夏季的一天晚上，我带着母亲去了徐彦家。怕自己无聊，我还带了一部《希腊悲剧选集》，也是从邻居家收的旧书堆中发现的。

母亲和徐彦的父母说话时，徐彦将我带到了他的房间里。他的沉默寡言加上我的自卑心理作怪，我表现得极矜持，低头看书而已。他坐在我旁边表现着主人应有的热情，隔一会儿就找话跟我说。要是他不说什么，我也不开口。终于，他问我看的是什么书。这一问，打开了我的话匣子，我跟他说起了书里的故事。两个多小时后母亲才起身要走，而徐彦还没听够呢。几天后他受他父亲的吩咐，到我家来送安眠药，我向他展示了我犯禁收藏的十几部书，建议他选一两部带回家去看。他说："这些书以后中国不会再有了，如果别人在我家看到了也向我借，万一还不回来怎么办？我这人嘴软，别人一开口借，我肯定会借给的。"

我说："那我也认了，绝不埋怨你。"

他想了想，却说："我还是不借的好，以后咱俩在一起，我听你讲就是了，我爱听你讲。"

后来，母亲经常独自去他家，成为他家的常客。因为儿女患同一种病，我的母亲和他的父母之间，渐生相互体恤的深情。当年即使有证明，也只能一次从医院买出十几片安眠药，而徐彦的父亲，可为母亲一次买出一小瓶来，这减轻了母亲总去医院的辛苦。自然地，我和徐彦的关系也逐渐亲密了。我以每次见到他都给他讲故事的方式，报答他父亲对我家的帮助。

他哥哥参军了，他妹妹有那样的病，他母亲还有心脏病——综合这些理由，使他可以免于下乡。

我下乡后，每从兵团给他写信，嘱他去我家替我安慰我的母亲、教导我的弟弟妹妹们听母亲的话、实地看一下我哥哥的病情。而他对我的嘱托一向当成使命，往往去了我家，一待就是半天。其实我觉得他不善于安慰人，却是特有耐心的倾听者。他的心如院长嬷嬷一般善良。我想我的母亲向他倾诉悲苦时，一定也仿佛向对有着宗教般善良情怀的人倾诉吧。

他是个天生看不进书的人，也是一个天生懒得给别人回信的人。他竟回了我几次信，那于他真是难能可贵的事了。“我到你家去了，带去了我父亲替你母亲买的药，和大娘聊了两个多小时的家常。你家没什么更不好的事，你也别太惦家……”

“我也很寂寞。厂里还有许多人热衷于搞派性斗争，很讨厌。同学们都下乡了，周围缺少友谊，更没人给我讲有意思的故事听了……”

他信上的字写得很大，也很工整。看得出，每多写一行字，他大概要想半天。

我虽精神苦闷，情绪消沉，但给他写的信，内容一向不乏发生在兵团的极有趣的事。我不愿用我的不快乐影响他。他给我的回信中，曾写过：“读你的信，是我愉快的时候……”

在我上大学的前一年，被黑龙江出版社借调了三个月。那三个月里，他家的常客不再是我母亲，而是我自己了。出版社自然是“知识分子成堆”的单位，比之平民百姓，知识分子显然是更加忧国忧民的。那时的中国，尚未麻木不仁的中国人胸中忧成块垒，积怨如地火般悄然运行。我每天在出版社都会加入值得信任的人之间的“私议”，而我在徐彦家，也就不再是讲故事给他听了，而是“讲政治”给他的父母听。他的父母是那类有社会良知的知识分子，每逢我讲到义愤时，他们竟也情不自禁地插话，诅咒祸国殃民之流。我讲到希望所在时，他父亲还会激动得陪我吸一支烟。我是极少数由他父亲陪着在他家吸过烟的人，他父亲一年也吸不了几支烟的。

每次我走，徐彦都送我，有时送出很远。

他不止一次告诫我：“千万记住我爸妈的叮嘱，那些话绝不能跟别人说。你以为有的人值得信任，可万一你的感觉错了呢？人出卖人的事咱们知道的听到的还少吗？记住行吗？”

他那时的口吻，更像一位院长嬷嬷了。

我就说：“行。”

他说：“我可不是怕万一你出事了，我和我父母受你牵连。枪毙你你都不会出卖我们的，这我绝对相信。可……你是我最不愿失去的朋友啊！你如果出事了，我不是就连个与我通信的朋友都没有了吗？”

那时我不由得站住，凝视他，整个心感动得发烫。

当年，当年，当年真是不堪回首，思想成了令亲友们极度担心的事。

当年，当年，当年真是难以忘怀，有那样的同学情义，如同拥有过美好爱情。

有一年我回家乡，跟前文提的几名同学聚到了一起。我几十年没见过他们了，大家都老了，也都还在为各自的家庭辛劳。

树起两口子都退休了，他曾为了增加家庭收入开过一个小饭店，没挣到多少钱还累出了心脏病。徐彦为了帮儿子还房贷，退休了也还在干活，在外县的一处工地上开大型挖土机。志松从一份医学杂志总编辑的位置退下来后，在家带孙子，偶尔打打麻将。云河、玉刚、松山也都白了头发。彼此脸上都有被人生折腾出来的倦容，却又都竭力表现出快乐，想要给朋友们留下毫无心事的印象。然而我清楚，每人都有各自的远忧近虑。

树起缓缓饮了一口茶（他心脏做手术后滴酒不沾了），看着我慢条斯理地说："现在，咱们对这家伙，终于可以放心了。"

志松反应快，紧接着说："当年你们几个托付给我的责任，我可尽到了啊！他后来在复旦大学上学，我大学毕业分配到了北京，有次出差南京，还专程绕到上海，告诫他务必学会保护自己呢！"

云河说："做得对，应该表扬！他上大学那三年，据说中国被打成现行反革命的人更多了。"

松山说："要说现在咱们对这家伙可以放心了，那也还是早点儿。什么时候他不写了，咱们才能彻底放心。"

玉刚说："现在中国没有反革命罪了，而且我看这家伙的思想也不像当年那么'反动'了……"

大家就都笑了。徐彦待大家笑过，也看着我说："别深沉了，讲讲吧！"

我问："讲什么啊？"

他说："讲国家呗，你当年最爱讲国家大事的呀！"

我想了想，说了这么一番话："中国现在问题很多，有些社会矛盾又突出又尖锐。可即使这样，我也还是觉得，倒退回去肯定不是出路。我们要告诉我们的儿女，从前的中国，与现在的中国相比，是一个无望的国家和一个大有希望的国家的区别……”

玉刚乐了：“都听到了吧？不但不反动了，还特革命了呢！”

志松不客气地说：“你小子打住！当你是谁呀？大领导呀？在对我们做报告呀？不许装模作样了，喝酒喝酒！”

于是除了树起，都擎起杯来一饮而尽。

大家刚放下杯，树起又说：“但这家伙刚才的话，我完全同意。”

云河问：“咱们刚才反对了吗？”

松山他们几个摇头。

志松一一往大家的怀里斟满酒，站起来，朗声道：“本人提议……”

我抢着说：“为情义干杯！”

志松说：“错，我要说的是为中国的大有希望！过会儿再为情义干杯！”

于是都站了起来，一饮而尽，连树起也将杯里的茶水喝光了。

都老了的我的亲爱的几位中学同学，一个个写着倦意的脸上，那时都呈现着难掩的期盼了……

第二辑

课桌课椅

罐头的故事

我永远忘不了十三四岁时，滴到我嘴里的那一滴罐头汁……

不知“罐头”一词究竟是外语的直译，还是中国百姓的惯说。每每视其而想，“罐”字似乎有些道理，后边连着“头”字却又是何意呢？百思不得其解。

我大约已有十年左右没吃过罐头了，确切地说，是没吃过自己花钱买的罐头。当然不是舍不得自己花钱买了吃，如今罐头实在是很便宜，瓶装的才四五元，和一个半大不小的西瓜等价，生活不是特别困难的人家，买几听罐头吃绝对不算奢侈。当然也不是吃够了，事实上我活到如今没吃过几次罐头。

有时开什么会或参加什么活动吃公饭，饭桌上往往有一盘罐头水果。或梨或桃，或荔枝或菠萝什么的。众人离开餐桌时，那一盘罐头水果，又往往并没明显地减少。有人可能吃了一口，有人可能都懒得向那盘中伸筷子或勺子，我属于后一种人。正是在那样的时候，便不禁地浮想联翩起来了。

逢年过节，客人登门，陪衬着些小礼物，总有一两听罐头。

客人一走，则就放入冰箱保存。而这一放，也许一两个月甚至更长的时间忘了打开吃。终于某一天清理冰箱取出来，于是免不了大发指责，指责当然首先是冲妻子的。

“怎么回事？为什么到现在还没吃？以为放在冰箱里就不会坏吗？在冰箱里放久了照样会坏的！这么点儿起码的常识都不懂吗？放坏了不是一种浪费吗？”

妻子则就会说：“那你吃啊！快打开吃！吃了就不必再往冰箱里放嘛！还省得占地方呢！”

“我吃就我吃！”

话一出口，自己听着也觉得不太对味儿，仿佛体现着一种“见危险就上”的大无畏精神似的。

家庭中出现了危险，勇于舍己的当然应是丈夫应是父亲。可这不是危险啊！这是吃罐头啊！

怎么的，吃罐头之对于中国人，竟成了这样的事了呢？仿佛还需要“战前动员”似的。

心里这么想着，就打开了。倒在碗里，自己先吃，有那么点儿以身作则的意味。

吃了点儿，喝了一口汁，觉得和记忆中的罐头的好吃简直没法比。明知自己一个人无论如何是吃不完的，于是分在三碗里。

“哎，你也得吃！”

这话是对妻子说的。

“还有你，别以为没你的事儿！”

这话是对儿子说的。

嘴上这么说着，自己听着，越发地觉得不像话了，好像在分派给妻儿极不情愿的“任务”。

妻子说：“先放那儿吧！没见我这会儿正忙着清理冰箱吗？”

“一会儿别忘了吃啊！”

与其说是叮嘱，莫如说是威告。

儿子说：“我不吃。”

态度是那么的干脆。

“你不吃？凭什么你不吃？”

“爸你这是什么话啊？什么叫凭什么啊？”

“好，算我表达有误。那就不问你凭什么，问你为什么，为什么不吃？”

“不为什么，不想吃而已。”

“不想吃？还……还而已？！难道罐头不好吃吗？”

“我也没说不好吃啊！”

“没说不好吃，那就等于承认，罐头其实是一种好吃的东西！好吃的东西而不想吃，就得说出个理由来！”

“说理由就说理由，我胃疼。”

“胃疼？撒谎！早不胃疼晚不胃疼，让你吃一小碗罐头就开始胃疼了？胃疼也得吃！吃罐头治胃疼！”

妻子从旁听不下去了，帮儿子解围：“你也太专制了吧！儿子已经说了他胃疼，你干吗还非逼他吃凉罐头？你也甭逼他，我替儿子吃！真是的，不就是一小碗罐头吗？”

听那口吻，大有舍身代罚的意味儿。

不愿惹得妻儿都不愉快，于是不再说什么，默默吃自己那一小碗。

心中不禁地又浮想联翩……

待吃光了自己那一小碗，妻子也关上了清理后的冰箱。

我搭讪着说："同志，我已经吃完了，你也得吃完啊！包括儿子的一份儿！"

"去去去，别啰唆！我什么时候吃，是我的事儿，不必你管。"

妻子洗了手，径自看电视去了。

可自己的心思，还在那两小碗罐头内容上。见妻子看电视看得那么的专注，一副根本没有"使命感"的模样，于是端了一小碗，凑将过去，尽量以亲爱的口吻说："我替你端来了，一边看一边吃，怎么样？啊？"

妻子吃了两口，起身离开。随在妻身后"监视"着，见她将两碗罐头内容并为一碗，又放进了冰箱。

于是好言批评："你看你，都打开了，倒出来了，不吃完，仍往冰箱里放，你不是成心要放坏吗？……"

"那，我现在吃不下去怎么办？是罪？该杀？"

于是自己一赌气，从冰箱捧出，捧着闷坐一旁，暗暗发誓非吃个一干二净不可。

的确吃了个一干二净。

但是第二天自己的肠胃就闹起病来……

一切的罐头都是西方人发明的，最先是军用食品的一种，后来才普及于市民。水果罐头只不过是水果保存的方式。在西方，富人当然不吃水果罐头，而吃应季鲜果。水果罐头是大众食品，是专供百姓吃的。

近年来，中国人的生活水平提高得较快，显著的提高体现在吃一方面。市场规律刺激了果农的积极性，所以近年来中国市场上瓜果梨桃供应极为丰富，有时甚至呈现过剩趋势，而且价格一年比一年便宜。即使按照低工资的消费水平比照，中国也几乎是寻常果类售价最便宜的国家。以北京为例，除了荔枝、桂圆、芒果、猕猴桃等南方果类的售价令平民百姓轻易不敢问津，苹果、梨、桃、杏、菠萝、葡萄等，通常价几乎与菜蔬相等。自然的，水果罐头便不怎么受待见了。如今连城里人送礼，也不再考虑水果罐头了。水果罐头的身价一贬再贬，只有农村和小乡镇还沿袭着以水果罐头作为礼品相送的人情遗风。据我所知，全国的水果罐头厂，经济效益皆不景气。

在我小的时候，水果罐头却是平民百姓家的孩子稀见之物。

小学六年级，我才知道世界上有水果罐头这一种东西。

当年一名同学正与另几名同学大谈水果罐头如何好吃，我走过去听了一耳朵，只听清了“罐头”二字，便从旁插言道：“那谁没吃过？也不像你说的那么好吃呀！”

那同学相讥道：“就你们家那么穷，你会吃过罐头？鬼才信呢！”

我比画着说：“我当然吃过一次的！不就比月饼大一圈儿吗？很硬很硬的，白面烙的，细嚼怪香的！”

他说：“哈！哈！你吹牛吧？那叫罐头吗？那叫‘杠头’！‘杠头’不过是一种干粮！水果罐头，那是把水果削了皮，切成块儿，放进一个铁罐子里，再加上糖水，然后把铁罐子封上。你吃过的吗？你吃过的吗？”

我说：“你才吹牛呢！把水果削了皮，剔了核，切成了块儿，却不吃，反而要装进铁罐儿里，还要封上盖儿，那是干什么吗！那不是精神病吗？”

于是我们彼此攻击。

另外的同学们，只有一两个见过罐头的，便都站在事实一边儿，竭力支持他说世上有罐头这一种东西。其余的同学和我一样，不但从未见过，而且从未听说过，就像从未听说过巧克力、麦乳精、乐口福、冰淇淋一样，当然盲目而又自信地站在我一边儿，异口同声地冲着那个吃过罐头的同学嚷：“精神病！精神病！”

几天后，在校门外，在刚刚放学的时候，那名吃过罐头的同学和几天前支持过他的同学拦住了我。

他说：“你不是不相信世界上有罐头吗？来，让你见识见识什么是罐头！”

他将我引到一处僻静的地方，从书包里掏出了一听罐头——后来我知道，因他父亲是飞行员，所以他才有幸能吃上罐头。那是一种筒装啤酒一样的铁皮罐头，盖儿上有环，一拉盖儿便彻底翻开……

于是他和那几个支持过他的同学当着我的面儿轮番喝罐头汁，接着又轮番用手指夹出果块津津有味地吃……

后来他说：“还有呢！”——示意他们中个子最高的同学，将罐头放在了人家院子的柱顶上。

望着他们走远，我扬头看那“高高在上”的罐头。我心里对自己说，你可要有点儿志气，脚步却不由自主地走了过去。我踮着脚，伸长一只手臂，却怎么也够不到柱子顶上那听罐头。但同学们喝时吃时故意做出的夸张表情，惹得我真馋啊！我四下里找了几块碎砖头，摞起来，一只脚站上去才将那罐头够在手里。偏巧那人家里有人出屋，在院里大喝一声："干什么？！"我一慌，摔了个屁蹲儿，手里仍拿着那听罐头……

院子里的人并没出院子，又回到屋里去了。

站起来，低头看罐头，见里面其实空空如也。

当然很沮丧，但也非常不甘心，举起空罐头盒子仰起头张大嘴耐心地承接着。许久，终于有一滴特别甜特别甜的汁滴落口中。

那是我长到十三四岁从未品咂过的一种甜，它仿佛将我的嘴都甜得"麻木"了。仿佛在我胃里顿时溶解为一片，并经过胃渐渐渗入到我周身的血管里。好比世界上一块含糖量最高的冰糖渐渐溶解在一杯凉水里一样……

如今回想起来，用"天上甘露"来形容绝不算夸张。

忽然我听到一阵大笑，一转身，见一堵墙后闪现出了那几个同学的身影。

我羞愧难当，丢了空罐头盒，拔腿便跑……

从那以后，"罐头"两个字，便深深地印在了我脑海里。

我开始常在梦中梦见罐头，如常在梦中梦见新书包……

老百姓家的孩子，只有在生病时，才可能吃到自己很馋而平时又吃不到的东西，比如煎鸡蛋、面条、一个苹果一只梨什么的……

我因馋罐头而巴望自己生一场大病。

不久我真的病了，不过不是什么大病，是由于中耳炎引起的高烧。

老百姓家的母亲们，在这种时候问病了的小儿女们的话照例是——"孩子，想吃点儿什么呀？"

我鼓足勇气，犹犹豫豫地说："妈，我想吃罐头。"

母亲愣了愣，问站在一旁的哥哥："他说他想吃什么？"

哥哥替我回答了一遍："妈，二弟说他想吃罐头。"

母亲又是一阵发愣，之后将哥哥扯到外间屋去。

我听到母亲在外间屋悄悄地说："这老二，想吃什么不好，怎么偏偏想起吃罐头来了呢？他从哪儿听说罐头好吃的呢？以为咱们是什么人家了啊！"

而哥哥悄声地说："妈，就给我二弟买听罐头吃吧，吃罐头有利于降烧呢！"

母亲低声训斥道："住嘴，别胡说！"——片刻后又问："一听罐头得多少钱？"

哥哥说一听罐头九角多。

"九角多？那么贵？够三四天的菜钱了！你就说哪儿哪儿都没买到罐头，给你二弟买两根冰棍儿就行了，冰棍儿更有利于降烧……"

接着，母亲回到里间屋，俯下身，充满爱意地注视着我说："我让你哥给你买罐头去了！"

我羞愧地说："妈，其实我也不怎么想吃罐头，随口说说的，你别那么当真。"

母亲却说："一听罐头，妈还是舍得买给你吃的……"

母亲离开后，弟弟妹妹们围了过来，一个个咽着口水问我，罐头究竟是种什么东西，怎么个好吃法儿……

而我，不禁地，就流泪了——因自己的过分高的要求，也因母亲那份儿兑现不起的母爱……

第二年，父亲从大西北回来探家了。我从他的背包翻出了两个“赤身裸体”，没有任何纸包装的铁皮罐儿。眼睛一亮，心想那必是罐头无疑了。一问父亲，果然是。父亲说，那是他用一双劳保鞋和几双劳保手套在列车上与人换的。说为的是春节饭桌上能多道稀罕的菜。我问里边是什么？父亲说他也不知道。我说你与人交换时怎么不问问啊。父亲说，列车上许多人都争着用不能吃的东西换能吃的东西，自己挤上前换到手就谢天谢地了，哪儿还顾得上问啊！……

“三十儿”晚上，父亲亲自开罐头。父亲不慎将手指划了个大口子，流血不止。母亲替父亲包扎手指之际，我将两听罐头分别倒在两个盘子里……

第一个盘子里出现的是没削皮的大红萝卜块儿，第二个盘子里出现的也是同样的东西。由于做罐头的铁皮不过关，由于过期，倒出的汁液浮着一层铁锈，变质的红萝卜块儿发出一股怪味儿。

它们根本就不能吃了……

我下乡后，连队的小卖部就有罐头卖，但我哪里舍得买了吃呢？“够三四天的菜钱了！”看见罐头，母亲当年的话便在我耳边响起。我宁愿自己永远也不吃罐头，为在城市里过贫穷日子的母亲和弟弟妹妹省下三四天菜钱……

但是我当班长时，班里的战士病了，我每每为他们买罐头。连队小卖部里除了罐头，也再无别的什么好吃的东西可买。

当小学教员时，学生病了，我也为学生们买过罐头。

每次探家，我去精神病院探视考上了大学而又因家境贫困读不起大学所以精神失常的哥哥，总是要拎上几听罐头。

怀着感激去到那些帮助过我家以及帮助过我的好心人家里

做礼节性的走动时，罐头往往也是必买的东西之一种。

一九七四年我接到大学录取通知书后，回老连队去向知青战友们告别。他们在大宿舍里为我“饯行”。几只饭盒摆在一起时，有一个战友看一看说：“怎么觉得少点儿什么呢？哎，你们看还少点儿什么？”

我一言不发，默默起身去了小卖部，将每种罐头都买了一听。

那一年我二十四岁，第一次吃罐头，而且是吃自己买的罐头。我只象征性地吃了几口，不知为什么，竟没感到特别好吃……

大学毕业五年后，我成家了。我的工资五十元多一点点，妻的工资高我几元。有了儿子后，开销增加了，我们必得“勤俭持家”。

于是我在夏季西红柿便宜时，向邻居们学做西红柿“罐头”。那是“土法上马”的“制作”，诚所谓“有条件要上，没有条件，创造条件也要上”——这是毛泽东当年的“最高指示”。做法说麻烦也麻烦，说简单也简单——将些葡萄糖瓶子水煮消毒，将西红柿洗净，切成条，由瓶口塞入瓶中，再加入糖醋，然后放在蒸锅里蒸。最后塞严橡皮瓶塞，再用塑料薄膜扎紧瓶口，摆放在阴凉处即可……

有一年夏季我做了二十几瓶，冬季吃不了，送给别人家，甚至也送给岳父母家。接受的人享用后，都说很好吃……

然而我却极少吃自己亲手做的罐头，天生吃不来一切罐头化了的水果或其他食品。在这一点上，我这个贫穷之家出身的人，又似乎显得太矫情了。

可当年落入口中那一滴罐头汁，为什么就特别特别的甘甜呢？个中缘由，我没细想过，自己也说不大清。

如今，任何一家副食商店罐头的专柜，大抵琳琅满目。品种之多，包装之美，非常吸引人的目光。

我喜欢站在罐头专柜前欣赏地看，但绝不会买。

有时，竟会由欣赏而陷入浪漫的遐想，希望自己是一位神仙，口中暗念咒语，轻轻一挥手，将全中国大小商店里的，仓库里的，以及大小罐头厂里正在生产着的各种各样的罐头，全靠意念搬运到许多偏远农村的贫穷农家里去……

月饼的故事

由中秋佳节，自然联想到月饼。

过去，百姓人家过中秋也就买两包月饼而已。我记得十分清楚，当年哈尔滨的月饼一包二斤，八块，八角六分一斤，砂糖五仁馅的。除了这种，别无其他。

我头脑的“底片”已然开始老化，孩提时的许多事，渐在记忆中模糊了，却保留下一些准确的数字。比如两角四，当年一块肥皂的价格。七角八，当年一种叫“江米条”的杂点的价格，四角六，当年一个灯泡的价格……

当年我家生活贫困，五个孩子。母亲一向舍不得多花八角六分钱买一包月饼。每至中秋，一包月饼，通常总是这样分的——妹妹一块，我和哥及两个弟弟每人半块，留下一块，照例要供爷爷。供两天后，再掰碎了分给我们。母亲从来都是一口不吃的，她总说：“太甜，不爱吃。”

前几年，月饼价格不知怎么突然贵得荒唐。最贵有千元几千元一盒的，馅里包名表、包钻戒、包纪念金币。我曾写过一篇短文，指斥为不折不扣的暴利现象。

一九九三年的一天，我收到一封从美国加州寄来的信。写信人当年也是北大荒知青，一九八五年去了美国。现在已经是一位机电工程师，月薪颇丰。买了房子、汽车，娇妻爱子三位一体，生活很是幸福。他在信中向我讲述了这样一件往事——一九七二年“中秋”节前，他和几名男知青在球场上打篮球，几名女知青坐在球场四周，边洗衣服边观看。突然，一辆失控的拖斗车冲向篮球场，冲向正带球准备跃起投篮的他。待他听到身后有异响，转身已见拖斗车近在咫尺，他愣住了。千钧一发之际，有人将他猛地推开。拖斗车呼啸而过，救他的人被碾于车下——是女排的一名班长，天津知青。

她被送往团卫生院时，已因伤势过重，失血过多，无法挽救生命了，医生说她至多再能挺着活半天。他当时也跟往团部去了，可她一路昏迷不醒，他根本没机会对她说一句话。医生只许连长一人入抢救室。连长出来时，说她喃喃地重复两个字——“月饼……”

再过两天就是中秋。于是电话打回连里，问哪个知青收到了家里寄来的月饼。结果令他们失望。当年知青相比着看谁最“革命”，认为月饼是替迷信人物嫦娥树碑立传的“反动糕点”，皆以不吃为荣。电话又打到其他连队，结果也令他们失望了。最后经团领导批准，允许他们去邮局翻当天收到、尚未被各连取走的包裹。只要觉得内中可能有月饼，拆包无妨，因为这一点已同时获得了所有连队知青们的理解……

仍一无所获。奄奄一息的女知青班长口中弱声重复着的，却始终是“月饼”二字。于是有人提议，为她做月饼，哪怕仅仅做一块。

连长没阻止，他也想将一块月饼送到女知青手中……

护送她到团部医院的知青们说做便做了。有的到大草甸子上去采榔柿。那是一种比山丁子大不了多少的草本野果，蓝色的，像葡萄，但比葡萄酸。除了榔柿，他们再想不到任何可做月饼馅的东西了。天已经黑了，他们打着手电散布在大草甸子里采，而大草甸子中的柿秧早已被团部附近的知青们“扫荡”过多遍。终于采满了半小碗。

他们考虑到用榔柿做月饼馅会很酸，所以又选了最好的萝卜，切了点儿萝卜丁，用开水焯过，与榔柿掺在一起。拌了许多蜂蜜，再搅入一些油炒面。有一名知青用两块砖刻出了月饼模子，甚至细心地刻出了“中秋”二字。

最后一道“工序”，便是将两块砖用油浸了，将那馅儿用精面包了，用砖合扣住，用铁丝拧紧，放在灶火中烧烤。一边烧烤，一边往砖上浇油……

当连长拿着一块滚热的“月饼”，两手掂换着冲入急救室时，女知青班长已咽气了。

连长哭了，知青们都哭了，哭得最悲痛的，当然是给我写信的他……

他在信中说——他一直暗暗爱恋着她，感觉到她也在暗暗爱恋着自己，只不过都没机会互诉恋情……

他在信中说——连里收到了她父母寄给她的一个包裹，内有两块月饼。没谁能有充分的根据判断，她于昏迷之中弱声重复“月饼”二字，是意识里盼望着吃到，还是唯恐父母不听她的劝告执意寄来，会影响她在知青中思想“革命”的形象……

他在信中说——他们当年“土法上马”制作的那块月饼，

和她家里寄来的两块月饼，曾一起放在她坟上供了几天，后来被头牛吃了……

他给我写信的目的，是请求我按照他提供的地址，每年中秋节前，替他买一包月饼，寄回北大荒去，请人供在她坟上……

我对这件事是非常认真的。按他信中提供的地址，先寄了封信投石问路，却泥牛入海，杳无回音。又询问过回北大荒的知青，得知当年那连队早迁移了，现已是一片荒无人烟之地……

我只得回信据实以告。

后来，我曾往北大荒寄过一个包裹，内装几种月饼，是寄给我当年教过的学生们。他们已长大成人，为人父母了。我想，他们的孩子吃我寄去的月饼时，当会觉得格外好吃吧？毕竟不是所有的孩子，都能吃到他们父母的小学老师寄给他们的月饼啊！

瘦老头

A 君是我朋友，一位“环保”专家。二十世纪九十年代初，他以博士身份从国外甫一归来，便为国内的“环保”问题四处奔走，大声疾呼。可以说，他是中国最早的一位能以专业头脑传播“环保”思想的人。现在，他任职于某大学，成为博士生导师，业已桃李满天下矣。

我第一次见到他，是在区“人大”组织的代表学习活动中，屈指算来，六七年前的事了。他作为专家，向二十几名区人大代表介绍世界“环保”经验。中午吃饭时，我恰坐于他的旁边。主食是米饭，也有面条。他要了一碗米饭，持箸端碗之际，叫住服务员姑娘，望着一桌羹肴小声问：“有榨菜吗？”

服务员姑娘摇头后说，有泡菜，有食堂自腌的小咸菜，有南方辣菜，还有腐乳，就是没有榨菜。他却说：“怎么可以没有榨菜呢？榨菜，必然应该有的啊！”服务员姑娘说：“那，就只能为您现去买一小袋了。”众人都看得分明，人家服务员姑娘那么说，显然等于软软地“将”了他一“军”，使他认清形势，能在没有榨菜的特殊情况下，顺利地将一碗米饭吃下去。

不料他赶紧说："那多谢了，那多谢了！"服务员姑娘愣了愣，不乐意地离去。他见众人都在费解地望他，神色颇不自然，连道："见笑见笑，对我来说，米饭还是就着榨菜才香。毛病，毛病……"众人都未接言，默默赔笑而已。我心里暗想，当然是毛病！觉得众人心里，肯定与我同感。他呢，则干脆垂手而坐，直等到人家服务员姑娘为他买来了一小袋榨菜，于是撕开，全部抖在碗中，拌几拌，大快朵颐。后来，我又在别的场合见到过他几次，竟成朋友。对于他的经历，尤其他与榨菜的亲密关系，渐渐了解。

A 君原本是北方林区的一个孩子，他上小学四年级时，逢"文革"年代。"文革"对于中国当年的中小学生们，大抵也留下过某些愉快的回忆。比之于今天皆被逼迫成了分数的奴婢的中小学生，当年的中小学生们简直可以说"幸福"无比了。逃学之事，蔚然成风。在那样的年代，全中国的中小学生没多少真的"以学为主"的，绝大多数以玩为主。尤其像 A 君那样一些当年的北方林区的孩子，用 A 君的话说，是"从早到晚，一心只想着怎么玩儿"。

"对于孩子，我们林区有意思的事儿太多了呀！那个年代，我们快玩疯了。我的四年级同学中，居然有识字不足一百个的，还居然有背不下乘法口诀的。别说我们这些个孩子认为读书无用了，连我们的父母差不多也都这么认为啊！我们的小学校，在林场的场部。我们结伴从家里走到场部去，得走一个来小时。即使离开家门时，都是打算不逃课的，但半路一发现吸引我们的事儿，比如一个马蜂窝，一个鸟巢，一只大个儿的青蛙，或一只蜻蜓王，便又集体逃课没商量了。因为坚持上学的学生越来越少，老师们都找借口调离了学校。我四年级还没读完，学校合并到县城去了。这么一来，我们上学更远，便都索性辍学了。家长们懒得管我们，不是家长的大人们对我们的种种玩法淘法也早已司空见惯。我们仿佛成了林区的一群小野生动物，整天纠结在一起东游西逛，为了满足心理快感，也每干点儿坏事。比如偷几串张家院子里晒的蘑菇，悄悄挂到李家的院子里去，看两家的人因而吵起来了，我们大为开心。又比如见谁家院子里的花啦菜啦的长得好，没招虫，我们就活捉一罐头瓶毛虫，隔着板障子，将罐头瓶扔进谁家院子……”

在三十多年后，在冬季的一个下午，在我家里，A君将臂肘架在窗台上，缓缓地吸着烟，不动声色地向我讲着他小时候所干的种种坏事。虽然是在冬季，那一个下午的阳光却很好，照进屋里一大片，也照在我和他的身上。是的，他起初是不动声色的，开始讲到“瘦老头儿”的时候，表情和语调，才使我觉得有了忏悔的意味……

“某天，我们五六个最野的小伙伴的视野中，出现了一个陌生的瘦老头。连大人们也不知道他从前是干什么的，只互相传说他是从南方被发配到我们那处北方林场的，姓张。还传说，连他的姓也是有关方面按在他头上的，并非他的真姓。家长们嘱咐我们，千万不要做什么辱害他的事，因为他已经患了晚期癌症，活不了多少日子了。有些话，即使家长们千叮万嘱，我们也还是会当成耳旁风。但是那一回，我们都把家长们的话记在心里了。辱害将死之人，是必会受到老天惩罚的，林区的大人孩子都深信此点。何况，瘦老头确实瘦得令人可怜，又高又瘦。他的脸，几乎是一张皮包骨的脸，所以就显得眼睛挺大的。

但是他的背，却挺得很直，起码我们每次见到他时他是那样子。他被指定住在一处路口的小木板房里，从林区往外运原木的卡车必然经过那个路口，他的工作就是负责登记车牌号、驾驶证号、运出的是何种原木。他一在那小木板房住下，便开始清理周围的垃圾，铲平土堆，围小园子。当时是春季，他在小园子里翻地，培垄，埋种。我们远远地望着，都困惑不已。依我们看来，他肯定活不过夏季的，大人们也都这样认为。那么，他所做的一切，不是毫无意义吗？夏天来临了，他竟没死。而那小园子在他的精心侍弄之下，茄子豆角黄瓜柿子西葫芦什么的，结得喜人。那破败的小木板房的前后，也有各种各样美丽的花开着了。某次我们经过他那园子，他在园子里唤住了我们，手拿着松土的小铲子问我们：‘听说你们几个很淘，是吗？’

“我们相互看看，都不知道该怎么回答他。

“他又说：‘男孩儿不淘气的少，咱们订一条君子协议好不？——请你们不要祸害我这园子里的菜秧。如果你们能做到，而我不到秋天就死了，那么园子里的菜由你们收获，全归你们。如果我活到了那一天，我只留少部分，大部分还是归你们。这个协议，你们现在愿意和我订下来吗？’

“我们又互相看着，都不由自主地点头。

“而他，望一眼小木板房，又说：‘要是我真的活不到秋季，拜托你们几个，替我把那些花的籽撸下来，用纸包好，交给接我工作的人。就说我希望他，年年种花。那些花多美啊，不论自己看着还是别人看着，心情都愉快嘛，是吧？’

“我们又不由自主地点头。

“‘那么，你们算是答应我了？’

“我们除了点头，仍不知该说什么，彼此使使眼色，一转身都脚步快快地走了……”

A 君按灭烟，喝了一口茶，问我小时候想到过死没有？

我说我七八岁时的一天，在无任何人暗示的情况下，不知怎么一来，忽然就想到了死，于是害怕得独自流泪，感到很绝望，很无助。

“大部分人小时候都经历过那么一个时期吧？”

“我想是的。”

“我们当时就正经历着那样的时期。别看我们整天疯啊野啊的，似乎天不怕地不怕，其实个个心里有一怕，就是怕死，只不过谁都不愿承认罢了。所以，我们对瘦老头都有几分佩服起来，因为他是一个不怕死的人。一个怕死的人，在活过今天不知明天还活不活得成的情况下，哪儿还有心思管什么菜啦花啦的呀！从那一天以后，我们再经过那小木板房和那小园子时，都一反常态，不吵不闹了。

“那一年的秋天来得早，立秋不久，发生一次山火，许多人家怕遭殃，离开林场，四处投亲靠友，我和几个小伙伴的家人，也将我们分别转移了。我们的父母并没随我们一起走，他们身负扑火的义务。等我们从四面八方回到林场，已经是一个多月以后的事了。山火早已扑灭，也没有哪一户人家被火烧到。我们都以为瘦老头肯定死了，各自回到家里才知道，他非但没死，还将园子里的菜收了，一篮一篮地送到了我们各自的家里。大人们都说，为了打听清楚我们都是谁家的孩子，他真是费了不少口舌。还说，他夸我们都是守信誉的孩子。从没有谁夸过我们那几个淘小子，明明是他自己一言九鼎，却反过来夸我们守信，使我们都惭愧极了。难道没忍心糟蹋他的园子也能算守信誉吗？那么，做守信誉的人也太容易了呀！于是我们一起去谢他。

“他园子里的菜秧已经拔起来，堆在一角，小木板房前后的花，也显然被撸过籽了，而他正在吃饭，不过就是喝着碗里的玉米面糊糊，就着小盘里的一点儿什么咸菜条而已。屋里这儿那儿，却不见有什么菜的影子。我们问他为什么不给自己也留些菜呢？他说他不愿吃菜，只愿吃小盘里那种咸菜。我们一时便都失语，由我替大家吭吭哧哧说了两句谢他的话，皆转身想走。他不让我们立刻离去，放下碗筷，从一个纸盒邮包里取出些小塑料袋，一一塞在我们手中，告诉我们那是榨菜。从小在北方林场长大的我们，头一次听说‘榨菜’两个字。我们走在回家的路上时，就都撕开小塑料袋尝起来。这一尝不要紧，哪个都管不住自己了。榨菜真好吃呀，嫩嫩的，脆脆的，微酸微咸微辣，与我们北方的任何一种咸菜的滋味都不同，也比我们所吃过的任何一种北方咸菜都爽口。在当年，我们北方人家腌的咸菜，无非就是疙瘩头咸萝卜什么的，我们早都吃烦了。蒜茄子固然是好吃的，但一般人家是舍不得把茄子也腌了的。纵使舍得腌点，往往也要留着待客，或春节才吃。你可想而知，榨菜对于我们，不啻是种美食。我们一会儿就都把各自的一小袋榨菜吃光了，一个个却还想吃。当然的，一进家门，就都喝水。过了几天，我们聚在一起，一商议，一块儿捡了些干枝子给瘦老头送去当柴烧。其实个个都明白，那是借口，还不是希望能得到那么一小袋榨菜嘛！

“瘦老头见了我们特别高兴，也十分感动于我们的好意。

但是，却没再给我们榨菜。他问，为什么总不见我们背着书包去上学？还是由我替大家回答他：因为小学校合并到县里了，去上学路太远了。又问，那你们还想不想学文化知识了呢？我们就一时的你看我，我看他，都有心诚实地回答‘不想’——学了又有什么用呢？就是学得再强，长大了想当正式伐木工人，那也得托关系走后门呢！可谁好意思这么诚实地回答啊，正在应该上学的年龄，自己却说根本不想上学，那话太令人羞愧了，说不出口。便都违心地说，其实都可想上学呢。瘦老头他沉吟片刻，问如果我教你们学，你们愿意不？这一问，我们又都充聋作哑了。小伙伴中有一个反问，如果我们让你教，对我们有什么好处？瘦老头摸了摸小伙伴的头，问榨菜好吃吗？这下，我们才齐刷刷地回答——好吃！他便接着说，只要同意他每天教我们两个小时，我们将会经常吃到好吃的榨菜。就这样，我们几个才上小学四五年级的孩子，以后竟成了那么一个身患绝症的瘦老头的学生。

“我们确实以后又吃到了好吃的榨菜，但却并不是每人每次一袋。他只给学习有进步的那个，一次照例只一袋，比现在飞机上有时候发的那种小袋大不到哪儿去，他说等于是奖励。这么一来，起初只不过由于太馋才到他那里去当他的学生的我们，都被激发起了好强心理。渐渐的，连自己也说不清都甘愿当他的学生所为何由了。

“瘦老头很会教学生，比如他每教我们识一个新字，都会从那个字一千多年以前是怎么写的讲起。他说每一个中国字都是长寿佬，都有婴儿时期和童年、少年、青年、中年阶段，每经过一个阶段几乎都要变一次，到再也不变的时候就是固定在最美妙的时候了。我知道你想说什么，当然，今天由我们这样的人听来，那话毫无独到之处。可你别忘了，我们是三十多年前出生在林场的一些孩子，我们连县城还没去过呢！教过我们的小学老师，大抵也只不过具有初中文化程度而已，并且有的还是林场‘革委会’头头脑脑的子女。当老师对于他们，只不过是混一份工资罢了，他们从没那么教过我们新字。如果他们也像瘦老头讲得那么有趣味，兴许我们都是爱学习的好学生了。

“瘦老头讲算术也讲得特有意思。他说这世界也基本上是数字的世界，比如水是由水分子组成的，而一个水分子，是由两个氢原子一个氧原子组成的，二比一这种数字关系永远包含在不受污染的水中。眼睛看着一碗水，也可以想象是看着万万亿亿的数学比例式。几乎人眼所见的每一种东西，将它们用化学的方法化解到最小单位时，便都是些数学式的关系了。那些数学式一变，某一种东西就开始发生质变了。甚至，连世界也开始发生某一方面的变化了。我们虽然小学四五年级就辍学了，可他竟将算术、代数和几何连在一起讲给我们听，而且还每每将物理和化学知识包含在内。

“没多久，他开始频频表扬我们都是些聪明的孩子，我们自己也都开始觉得，原来我们并不像自己和我们的爸爸妈妈所以为的那样，都是笨头笨脑的孩子，‘根本不是读书的料’。当年的课本，你也知道的，语文也罢，算术也罢，都是没意思到了极点的。幸而瘦老头根本不是手拿当年的课本教我们，他要是也那样教，即使榨菜再好吃，那我们当了几天他的学生，还是会逃之夭夭的。总而言之，瘦老头他渐渐将我们迷住了。不管知识有没有用，他将知识变得非常有趣了是一个事实。

“他讲课时，腰板挺得尤其直，一只手背在后边，一只拿粉笔的手自然而然地举胸前，目光几乎一刻也不离开我们的脸，一忽儿凝视这个，一忽儿凝视那个。有时，他的目光明明在凝视这个，却会将拿粉笔那只手忽然一伸，叫起另外某个回答问题。另外那个一时回答不上来，他也从不急，一向耐心地说：‘想想，再想想，上次我讲过的。’于是将自己的目光望向窗外，耐心地期待。如果他对于回答半满意不满意，就会很认真地问我们另外几个：‘咱们民主一下，你们认为该奖给他榨菜吗？’通常情况下，大家必会异口同声地说：‘应该！’因为我们心里有数，奖给了谁，也等于奖给了大家，谁都不会独吞的。我们分吃具有奖励意味的榨菜时，不但口中的感觉好极了，心里的感觉也好极了。对于我们而言，仿佛瘦老头的课也讲出了和好吃的榨菜一样的滋味。每当他的手伸入纸板邮盒往外拿榨菜时，也照例要说一句：‘多乎哉，不多也。’我们呢，就都开心地又都有些不好意思地笑。

“自从我们成了他的学生，他几乎每个月都要去邮局取包裹了。而以前，隔两三个月才会有包裹从南方寄给他。他住的小木板房也因为我们而变了，他将一张破桌子重新摆放，使一面墙壁一览无余，又不知从哪儿搞到半瓶墨，涂黑墙壁，于是成了黑板……你听烦了吧？……”

阳光照在“环保”专家的脸上，他微眯着眼，目光凝注地望着窗外某处，仿佛要看清什么，问我话，居然也不转一下脸。窗外是元大都城墙遗址，覆盖着冬季的第一场雪。北京的冬季是很少下那么大的雪的，这使北京多少有点儿东北冬季的景象了。然而，窗外毕竟没有了记忆中的林场，没有住着一个瘦老头的小木板房……

我说："讲下去。"

他说："在那一年的冬季，小木板房成了我们几个孩子的阳光房……其实那小木板房并不朝阳，再加上一面墙涂成了黑色……但是你能明白我的意思吧？……"

我说："明白。"

"我们那时已经不叫他瘦老头了，开始当面叫他张大爷了，背后却都叫他'咱们老师'……"

"为什么不是反过来，当面叫他老师，背后叫他张大爷？"

"我们中有一个当面叫过他老师的。他正要提问，一下子被叫愣了。愣了几秒钟，走到窗口那儿去了。背着一只手，腰挺得笔直，一动不动地在窗口那儿站了很久，我们全都呆望他背影，不知他是怎么了。终于我们听到他低声说：'今天的课就讲到这儿，我有点儿不舒服，孩子们你们可以走了……'我们一个个悄没声地离开，我走在最后，忍不住轻轻将门推开一道缝，往内偷窥，结果我看到他双手捂在了脸上。对于他的身高，那小木板房的屋顶实在是太低了，如果他脚下垫两三块砖，那么他的头差不多就触到屋顶了。我看得出来，他是在无声地哭，尽管我窥到的只不过是他的背影。我们当然都无法理解那是为什么，却互相告诫，以后都不许当面叫他老师了……大人们说，他活不到开春的。可春天来临了，他仍活着。我们帮他修小园子的篱笆，帮他翻地、培垄，帮他搭菜架和花架……"

"等等……"

A 君缓缓地将脸转向了我，他已半天没看我一眼了，似乎只不过在自言自语。

我说："晚期癌症有时是很疼的。"

他说："是啊，可我们那样一些孩子，当年也不懂许多事啊，也不知道怎么心疼大人啊。我们是见到他疼痛难耐过的，某天他讲着讲着课，忽然一手捂胃，接着额上渗出汗来，再接着，弯下了他那一向笔直着的腰。那是他第一次在讲课时弯下腰去。很快他又直起腰来，说他去茅房，还不许我们离开屋子。我们只当他是忽然肚子疼了，我们也都忽然肚子疼过啊！着凉、岔气儿、吃了什么不干净的东西，都会肚子疼的呀，谁还没肚子疼过呢？他半天没回来，我们就都有点儿不安了，都出去了，见他蹲在门旁，双手握成拳，一上一下抵压着胃腹。他脸上滴落的汗，湿了鞋尖前的地面儿。我们将他搀进屋，他说他没什么，疼痛一会儿就会过去的。他撕开一袋榨菜，一条接一条全吃光了。之后倒了半碗开水，吹一口喝一口，转眼喝尽。我们当年真傻，虽然都亲眼看到了他疼痛的样子，却没有一个往癌症那方面去联想。也可以说，那时的我们，其实是很排斥他患了不治之症这一个事实的，也特别讨厌大人们判断他活不了多久的话。我们宁愿相信，他能那么干瘦干瘦地活很久，很久，等我们都长成了大人，还活着。我们已经看顺眼了他的瘦，反而都觉得，如果他不那么瘦，就不符合'咱们老师'应该怎样的条件了。

"两年半以后，他还活着。一天他对我们说，我们不可以再是他的学生了，而应该到县里去读中学。并说，他已经分别和我们的父母谈过了，我们的父母都是同意的。可我们却有点儿不情愿，我们对当年的学校还是难以产生好感，长大以后都争取当上伐木工人是我们一致的想法。他却这么问我们：'一个国家的森林是有限的，有限的森林会越伐越少。到那时，国家就不需要很多伐木工了，你们可怎么办呢？’他的话，使我们都忧虑起来。见我们个个低头不语，他又夸我们全都如何如何聪明，说中国的将来，究竟会产生多少新的行业，需要多少文化高、知识广、能力棒的人才，是他难以想象到的，更是我们这些孩子不可能想象到的，所以我们只由着性子在年龄这么好的时候虚度时光，高兴怎样就怎样，不高兴怎样就不怎样，那是不对的，人有时候更应该明白应该怎样不应该怎样的道理。

“从没有人对我们说过那样的话，我们的家长也没说过。但当时他的话并没说到我们内心里去，我们也不是太理解他的话，却看得出来，他完全是为了我们好。我们心生感动，然而其实并没被说服。他的话对我们父母的影响，比对我们的影响大得多。于是我们的父母都严厉地命令我们，几天后必须跟他们到县里那所中学去。

“县中学的校长听说我们都没读完小学，指示要对我们进行考试，还要先亲自一个一个地面试我们。如果面试没通过，那连考也不必考了，还是再去读小学吧。我被面试过以后，在操场发现了瘦老头。我问他为什么也来了，他说他忘了让我们每人带上一袋榨菜，所以亲自给我们送来。说如果对着卷子一时发蒙，嚼一条榨菜能使心情稳定下来，还能清脑，使精力集中。他将几袋榨菜交给我，一转身蹒跚而去，为的是赶上一趟林区的小火车。

“校长面试过我们之后又决定，不对我们进行考试了，当即就将我们分了年级和班级。我们一一被插入初二各班，有一个还直接被插入了初三的某班。校长显得很高兴，当着几位老

师的面指着我们说：‘像他们这样的孩子，来多少收多少，都不必经过考试！’

“我们成了县中的学生以后，都得住在学校了。县城距离林场三十多里，到了林场也不等于是到了家门口，到家还得走上十来里，不住校是不行的。我们连星期日也很少回家了，因为要是搭不上便车，就得坐小火车，那年月，我们怎么会舍得花五角钱买一张车票呢？往返要花一元钱呢，根本舍不得。我们一块儿回家，是在放寒假后。

“到家当天，吃午饭时，我父亲一时想起地告诉我——‘你们应该感谢的那个瘦老头，他死了，才几天前的事儿。’大人们虽然知道了姓张，但背后普遍都叫他瘦老头，当面则叫他‘哎你’，因为一连他的姓叫，反而不好叫了。他的政治问题使大人们都尽量避免和他接触，何况，都认为他并不真的姓张。

“我搁下饭碗便往外跑，挨家将小伙伴们叫上，一块儿跑到了小木板房那儿。几场大雪将小木板房的门埋住了半截，门上贴的封条已被风撕得残缺不全。我们想从窗子往里看，窗玻璃结着厚厚的霜。园子里，雪被下刺出参差不齐的搭菜架的木条和树枝，几只绒球似的麻雀在雪上蹦来蹦去的……”

“环保”专家又吸着一支烟。

我问：“他埋在你们林区了？”

他说：“不，他被火化之后，骨灰寄给了他南方的什么亲人……估计，就是往常从南方寄给他榨菜的亲人吧，这也只是我们的估计而已。凭我们几个初中生，当年打听不清关于他的什么真实情况，也根本不知道向谁去打听……”

“那，后来你们几个……”

"'文革'一结束，我们先后都考上了大学。现在，除了我，我们中还出了两位大学教授、一位林业局副局长。还有两个成了外国人，一个在美国，一个在法国。他俩起先也在大学里任教，近年失去联系了。啊对了，现在县中的校长，也是我们中的一个，县中现在是地区的重点中学了。我早已将父母接到京来住，在林区没亲戚。前年我回去了一次，没什么事儿，就是很想回去看看。一切都今非昔比了，大多数伐木工人都转行了，少部分伐木工人成了护林队员或育林工人。我们那个当县中校长的发小告诉我——据他后来了解，我们的恩师……他算得上是我们的恩师吧？……"

我说："当然。"

"他一九五七年大鸣大放中，因为批评乱砍滥伐的现象，成了右派，从一所大学被扫地出门，成了一名扫街人。'文革'中，又被收集整理了几句'反动言论'，判刑入狱。出狱后，被押送到东北进行改造。因为七十来岁了，没地方愿意改造他了，阴错阳差地，被像破麻袋似的甩弃在我们那个林场了。我们当县中校长的发小，也就了解到这么多，还不知确凿不确凿。我们恩师患的是晚期胃癌，这一点倒是可以肯定的。当年给了他一份工资，只有二十几元，仅够他吃饭活着的，哪里能挤出买药的钱呢？当年在林区，又能买到什么药呢！所以胃疼起来，也只能忍着。现在想来，榨菜是唯一能帮他每天喝得下两碗玉米面糊糊的东西。他连自己园子里收的菜都一点儿不留，证明除了榨菜和玉米面糊糊，他的胃已经不接受任何其他食物了。也许，榨菜对于他的胃，还有匪夷所思的止疼药作用吧，你认为呢？……"

我说："这我很难回答你。"

他转动着手中的半截烟，看着，又语调缓慢地说："如果真是那样，当年我们还馋他的榨菜，那可太罪过了。我的大学生活是在哈尔滨度过的，一到哈尔滨，我就到处买榨菜。可当年的哈尔滨，哪哪都买不到榨菜。直到我大三了，哈尔滨的某些副食店里才出现南方的榨菜。我一买到手，就吃零嘴儿似的吃掉了一袋儿。我们中还有一位，第一次乘飞机时，飞机上发的盒饭中有一小袋榨菜。一小袋对于他是不够的，居然厚着脸又向空姐要了一小袋。我们那两个在国外的，隔三岔五地就要跑到唐人街去吃碗榨菜面什么的，说否则胃里就像有馋虫在蹿动……你明白我为什么那么喜欢吃榨菜了吧？"

我说："明白了。"

"我们当县中校长那位，专门咨询过医生，问他那么喜欢吃榨菜，算不算一种病？你猜医生怎么回答他？"

"怎么回答？"

"医生说：'我也喜欢吃榨菜啊！只要每餐吃得清淡点儿，一天一小袋儿，多喝开水，对身体不会有什么危害的。'医生还说自己一犯烟瘾时就吃一条榨菜，竟然把烟戒了，但愿我也能那样。一位又瘦又病的高个儿老人改变了我的人生，而榨菜使我每天的日子有种别人咀嚼不出的特殊滋味……"

我的"环保"专家朋友接着又说了些什么，我已不再注意听了，但我的目光已经望向我家的一面墙壁。墙上的小相框中，镶着一幅西方肖像派油画，印刷品——米开朗琪罗的《先知耶利米》。那先知沉郁而苍老，低着头，垂着眼皮，右手撑着下巴，实际上是严严地捂住了自己的嘴。他在思想着什么事，表情苦闷而忧伤。我觉得，那先知若瘦一些，大概就有点儿像我朋友记忆中的瘦老头了吧？……

“你在想什么？”

朋友不知何时站到了我身旁。

我说没想什么。

他说：“你对良知和责任怎么理解？”

我说：“一回事吧？！”

“一回事？难道是一回事吗？有良知只不过意味着不做坏事，有责任的人却是要大声疾呼的！在我这一行里，我是有责任的人。在你那一行里，你只不过还有点儿良知罢了！知道我为什么今天到你家来吗？知道我为什么向你讲那些吗？不是因为我讲述的愿望太强烈了，而是为了你！因为你我已经是朋友了，因为我觉得，你这样的作家只保留住了点儿所谓良知，却一点儿都不承担社会责任了，那是不对的！估计这年头没什么人会跟你说这种话了。你我既有缘成为朋友，那么我认为我应该成为你人生中的瘦老头！尽管我比你小七八岁！……”

我惊愕，我呆住，那一时刻我双耳失聪，听不到他接下去所说的话了。

我的眼又一次望向《先知耶利米》……

花儿与少年

有一少年，刚上小学六年级，班主任老师多次对他妈妈说："做好思想准备吧，看来你儿子考上中学的希望不大，即使是一所最最普通的中学。"

同学们也都这么认为，疏远他，还给他起了个绰号"逃学鬼"。

是的，他经常逃学。有时候他妈妈陪他去上学，直至望得见学校了才站住，目送他继续朝学校走去。那时候他妈妈确信，那一天他不会逃学了。

那一天他竟又逃学了。

他逃学的原因是多方面的，最主要的原因是贫穷。贫穷使他交不起学费，买不起新书包。都六年级了，他背的还是上小学一年级时的书包。对于六年级生，那书包太小了。而且，像他的衣服一样，补了好几块补丁。这使他自惭形秽，也使他的自尊心极其敏感。我们都知道的，那样的自尊心太容易受伤。往往是，其实并没有谁成心以言行伤害他，但他却已经因为别人的某句话、某种眼神或某种举动，而遭暗算了似的。自卑而又敏感的自尊心，通常总是那样的。处在他那种年龄，很难悟到问题出在自己这儿。

妈妈向他指出过的。

妈妈不止一次说："家里明明穷，你还非爱面子！早料到你打小就活得这么不开心，莫如当初不生你。"

老师也向他指出过的。

老师不止一次当着他的面在班上说："有的同学，居然在作文中写，对于别人穿的新鞋子如何如何羡慕，知道这暴露了什么思想吗？"

在一片肃静中，他低下了他的头——他那从破鞋子里戳出来的肮脏的大脚趾，顿时模糊不清了……

妈妈的话令他产生罪过感。

老师的话令他反感。

于是他曾打算以死来向妈妈赎罪。

于是他敌视老师，敌视同学，敌视学校。

某日，他又逃学了。

他正茫然地走在远离学校的地方，有两个大人与他对行而过。他们是一男一女，一对新婚夫妻。他们正在度婚假。事实上，他们才二十多岁，是青年。但在小学六年级学生眼里，他们当然是大人了啰！

他听到那男人说："咦，这孩子像是我们学校的一名学生！"

他听到那女人说："那你还想问问他为什么没上学呀？"

他正欲跑，手腕已被拽住。

那男人说："我认得你！"

而他，也认出了对方是自己学校的少先队辅导员老师，姓刘。刘老师在学校里组织起了小记者协会，他曾是小记者协会的一员……

那一时刻，他比任何一次无地自容的时刻，都倍感无地自容。

刘老师向新婚妻子郑重地介绍了他，之后目光温和地注视着他，请求道："我代表我亲爱的妻子，诚意邀请你和我们一起去逛公园。怎么样，肯给老师个面子吗？"

他摇头，挣手，没挣脱。不知怎么一来，居然又点了点头……

在公园里，小学六年级学生的顺从，得到了一支奶油冰棒作为奖品。虽然，刘老师为自己和新婚妻子也各买了一支，但他还是愿意相信受到了奖励。

那一日公园里人很少。那只不过是一处山水公园，没有禽兽，即使有，一个"逃学鬼"也没好心情看。

三人坐在林间长椅上吮奶油冰棒，对面是公园的一面铁栅栏，几乎被"爬山虎"的藤叶完全覆盖住了。在稠密的鳞片也似的绿叶之间，喇叭花散紫翻红，开得热闹，色彩缤纷乱人眼。

刘老师说，仍记得他是小记者时，写过两篇不错的报道。

他已经很久没听到过称赞的话了，差点儿哭了，低下头去。

待他吃完冰棒，刘老师又说，老师想知道喇叭花在是骨朵的时候，究竟是什么样的，你能替老师去仔细看看吗？

他困惑，然而跑过去了，片刻，跑回来告诉老师，所有的喇叭花骨朵都像被扭了一下，它们必须反着那股劲儿，才能开成花朵。

刘老师笑了，夸他观察得认真。说喇叭花骨朵那种扭着股劲儿的状态，是在开放前自我保护的本能。说花骨朵基本如此。每一朵花，都只能开放一次。为了唯一的一次开放，自我保护是合乎植物生长规律的。说花瓣儿越多的花，骨朵越大，也越硬实。是一瓣包一瓣，一层包一层的结果。所以越大越硬的花骨朵，开放的过程越给人以特别紧张的印象，比如大丽花、牡丹、菊花，都是一天几瓣儿开成花儿的。说若将人比作花，人太幸运了。花儿开好开坏，只能开一次。人这一朵花，一生却可以开放许多次。前一两次开得不好不要紧，只要不放弃开好的愿望，一生怎么也会开好一次的。刘老师说他喜欢的花很多，接着念念有词地背诗句，都和花儿有关。“疏花个个团冰雪，羌笛吹他不下来”——说他喜欢梅花的坚毅；“海棠不异胭脂色，独立蒙蒙细雨中”——说他喜欢海棠的高洁；刘老师说他也喜欢喇叭花，因为喇叭花是农村里最常见的花，自己便是农民的儿子，家贫，小学没上完就辍学了，是一边放猪一边自学才考上中学的……

一联系到人，他听出，教诲开始了，却没太反感。因为刘老师那样的教诲，他此前从未听到过。

刘老师却没继续教诲下去，话题一转，说星期一将按他的班主任的要求，到他的班级去讲一讲怎样写好作文的问题……

他小声说，从此以后，自己决定不上学了。

老师问：“能不能为老师再上一天学？就算是老师的请求。明天是星期六，你还可以不到学校去。你在家写作文吧，关于喇叭花的。如果家长问你为什么不上学，你就说在家写作文是老师给你的任务……”

他听到刘老师的妻子悄语："你不可以这样……"

他听到刘老师却说："可以"。

老师问他："星期六加星期日，两天内你可以写出一篇作文吗？我星期一第三节课到你们班级去，我希望你第二节课前把作文交给我。老师需要有一篇作文分析、点评，你为老师再上一天学，行不？"

老师那么诚恳地请求一名学生，不管怎样的一名学生，都是难以拒绝的啊！

他沉默许久，终于吐出一个勉强听得到的字："行……"

他从没那么认真地写过一篇作文，逐字逐句改了几遍。

当妈妈谴责地问他到点了怎么还不去上学时，他理直气壮地回答："没看到我在写作文吗？老师给我的任务！"

星期一，他鼓足勇气，迈入了学校的门，迈入了教室的门。

他在第一节课前，就将作文交给了刘老师。

他为作文起了个很好的题目——《花儿与少年》。

他在作文中写到了人生中的几次开放——刚诞生，发出第一声啼哭时是开放；咿呀学语时是开放；入小学，成为学生的第一天是开放；每一年顺利升级是开放；获得第一份奖状更是心花怒放的时刻……

他在作文中写道：每一朵花骨朵都是想要开放的，每一名小学生都是有荣誉感的。如果他们竟像开不成花朵的花骨朵，那么，给他一点儿表扬吧！对于他，那等于水分和阳光呀！……

老师读他那一篇作文时，教室里又异乎寻常的肃静……

自然，他后来考上了中学。

再后来，考上了大学。

再再后来，成为某大学的教授，教古典诗词。讲起词语与花，一往情深，如同讲初恋和他的她……

我有幸听过他一堂课，和莘莘学子们一样极受感染。

去年，他退休了。

他是我的友人，一个温良宽厚之人。

他那一位刘老师，成为我心目中的马卡连柯。

朋友，你知道曾有一本苏联的小说叫《教育的诗篇》吗?要求每一位老师都是马卡连柯，那太过理想化了。但，每一位老师的教学生涯中，起码有一次机会可以像马卡连柯那样。那么，起码有一名他的学生，在眼看就要开不成花朵的情况下，却毕竟开放成花朵了。即使一个国家解体了，教育的诗性也会常存，因为人类永远需要那种诗性……

课桌课椅

那是西北一个很穷的村子。

那村子在二〇〇〇年新建了一所小学校，说是“学校”，其实呢，它只不过是一间土坯房，比西北农村人家的一间房大点儿，比正规小学的标准教室小点儿。说它“新”却是对的：每一块土坯都是当年脱的新坯，梁和檩都是用当年伐倒的树锯成的。苫房顶用的，也是当年收割的麦秸。

那村子原先是没小学的，去年的春季，在一次村委会上，有名村干部说：“唉，明年都二〇〇一年了，叫作新纪元呢！一千年一个纪元呀！咱们借千年一回的年份的吉利，为村里的孩子们好歹弄起所小学校吧！再说最近的小学，离咱们村也有三十几里远，叫那些想上学的孩子怎么去呢？可全村的孩子一代代从小都不上学，往后还怎么行啊！”

众村干部一时沉默。接着，一个个在沉默中点了头。

于是从那一天起，他们一有空就义务脱坯。村人们在他们的带动之下，也都乐于为孩子们尽那份义务。秋收前，四堵土坯墙垒起来了。秋收后，村里仅有的几棵大树伐倒了，小学校举架了。一出新麦秸，就苫顶了……

但村里的孩子们仍不能上学，因为学校还没门窗，也没课桌课椅。

不久，县教委通知村干部，说是县里一所小学换下了一批旧桌椅，可捐送给村里三十套，另外，还为村里搞到了一扇旧门和几扇旧窗，窗上的玻璃基本完好，县教委某人的一个亲戚是拆迁队的，通过这种亲戚关系用一条烟替村里要到的。

村人们奔走相告，男女老少别提有多高兴了：这要是一运回来，几天后孩子们不就可以上学了吗？

可用什么车运回来呢？村里自然是没卡车的，也没任何别的车辆。

村里有个男人叫刘辉，是本地的“大知识分子”。十年前县师专的优秀毕业生，还没拿到正式的毕业文凭，就被县里一所重点小学迫不及待地“抢”去当老师了。后来由于失恋，精神受创，曾在精神病院住过一段时日。出院后，父母将他接回村里将养。这一养便是十年，父母已过世了，他还没娶上媳妇。他对娶不娶媳妇倒也无所谓了，却一心指望还能有重新当老师的一天。村人们则并不嫌弃他，十年来一直敬重着他文化高这一点，也一直称他“刘老师”。

晚上，“刘老师”出现在一名村干部家。他说车的事，他可以解决，包在他身上了。

村干部问：“你？包在你身上？你有什么办法解决呢？”

他说：“毕竟在县里待过几年啊，朋友总是交下几个的嘛！”

村干部沉吟着说：“可是，可是你……”村干部原打算说：“可是你当年那些朋友，如今还能给你这个生过精神病的人面子吗？”话到喉间打了个滚，吞咽回去了，换了一种说法：“可是你有什么条件呢？”

“刘老师”说：“只有一个条件，让我当小学校的老师吧！”

村干部不由一愣，他万万没有料到“刘老师”会提这条件，他联想到建小学校时就数“刘老师”积极肯干，那间土坯房举架后，总见他围绕着房子转，原来竟是这么种心思……

村干部不能泼“刘老师”冷水，他沉吟了一会儿，说：“你的条件嘛，得全体村干部研究研究，是吧？”

“别人什么态度你先别管，你先表个态。我……我……我能为咱村的孩子们当一名好老师。”

“是啊是啊，这我是毫不怀疑的……”

“那，我就去了。”

“去哪儿啊？”

“去县里，我替孩子们急。”

“这……天都黑了……你连夜赶到县里去？”

“没事儿的，早一天是一天。我又不是女的，怕什么？”村干部没扯住，“刘老师”转身就匆匆走了……

这件事儿当晚就传开了。有人说，怎么能指望他将课桌椅弄回来呢？还有人说，要是他真将课桌椅弄回来了，村里难道真的让一个住过精神病院的人当孩子们的老师？

第二天，“刘老师”没有回来……

第三天，“刘老师”被他的几名朋友送回来了——一位当司机的朋友确实答应了他的请求，还有那几名送他回来的朋友帮着装车。为孩子们上学的事儿，谁都愿意表现份儿热心的，但卡车在半路被三名穿了警服的歹徒劫了，“刘老师”被打成了脑震荡，他的司机朋友也被打昏了。他们苏醒过来时，那辆满载旧课桌椅的卡车早不见了……

村人们一时全都目瞪口呆，面面相觑。

“刘老师”的朋友轮番劝了一阵，说车是上了保险的，而且已经报案了，让“刘老师”，只管安心养伤，“刘老师”答应了，他们才走。

那天以后，人们再也见不到“刘老师”围绕校舍转悠的孱弱身影了，他甚至都不大在村里出现了。许多人开始说些埋怨的话了，先是埋怨那名村干部，不该把这事交给一个患过精神病的人办，接着又埋怨“刘老师”，认为完全是他插了一足才把事情搞糟了，否则，校舍的门窗也会安装上了，课桌椅也有了，孩子们都上学了。大人们的埋怨情绪，自然影响到了孩子们……

“刘老师”又在村里露面时，已是秋末，天冷了。大人们对他的笑脸勉强了，孩子们望着他的目光也有几分鄙夷了。他显然敏感地察觉到了人们对他的态度的变化。在孩子们面前，他的样子更加无地自容，他对每一个孩子都负罪似的说：“我绝没想到会那样，绝没想到会那样，他们抢劫一卡车旧课桌椅干什么呢？我保证替你们把课桌椅找回来，我保证！”

有的孩子冷漠地望他一会儿，不愿搭理，就跑开了；有的孩子则悻悻地向他掷出两个字：“疯子”……

于是他仿佛被定身法定住了，呆呆地一动不动，一站就站了很久。

下第一场雪了……

在这个村子里，在第一场雪洁白的“日记”上，印了第一行足迹的不是别人——他的足迹从他的家门口走向校舍，围绕着校舍走了一圈，走向村外去了……那间校舍的房顶上，没有窗扇的窗口坯台上，以及里边没有课桌椅的地上，积着厚厚的一层雪，像无眼无唇无齿的骷髅……

没人知道他去哪里了……

几天后，因他而受舆论责备的那名村干部收到了“刘老师”寄来的一封信，信上说，希望村人们不要替他担心，他不会出什么事儿的，说他在找那几个劫车的人，也就是在为孩子们找那批旧课桌椅，说他保证能找回来……

这封信的内容也在村里传开了。村人们都摇头叹息：唉，十几年没犯过的病，准是因为受那一场惊吓和刺激犯了。村干部们决定派人把他找回来，但不知他在什么具体地方，派人找回他的事儿议了几次都无法落实……

而就在这时，在邻省离本省最近的县城里，出现了一个蓬头垢面、衣衫褴褛的疯子，靠乞讨饱腹。他令人讨厌之处是对留络腮胡子的人反应特别不正常，一见就两眼发直，就跟踪，有时甚至会扑上去抓住对方的一只手。疯子因此没少挨揍。

有一天，他又扑上去抓住了一个留络腮胡子的人的手，那人的一只手少了中间两个手指。疯子大叫：“你逃不了啦！卡车在哪儿？车上的课桌课椅你们弄哪儿去了？”

那人就挥拳打他，一边咒骂：“你这疯子，老子打死你！打死你！”

疯子被打得满脸是血，却顽强地不肯松开对方的手臂。

对方急了，拔出刀子扎他，一刀、两刀、三刀……

疯子倒下了，却又抱住了那人的一条腿……

警察来了……

那疯子，也就是"刘老师"的尸体被送回了村里。

络腮胡子招认了。后来，卡车也找到了，它被推下公路，四轮朝天翻在深沟里。一车旧课桌椅，断断裂裂地散乱在山坡上，因有杂树丛遮掩着，从公路上看还不太容易发现。

劫车的歹徒们当时倒不是为了那车课桌椅，而是为了抢了这车尽快逃窜——他们是一伙早已遭公安机关通缉的罪犯……

没人能知道，"刘老师"究竟根据什么认定了在那个县里会有所发现，倘他还活着，自然可以问问他，但他已经死了，于是谜团永不能解了。

公安机关问村里还要不要那批旧课桌椅，村干部们回答：当然要啊，门扇窗扇也要！于是公安机关找了辆卡车，将那些在许多人看来毫无用处的东西跨省运了回来……

村人们在修那些课桌椅时，想到"刘老师"的惨死，心情都很难过，便将他埋在了小学校旁，插了一块木牌，上面写的是"本小学荣誉老师刘辉之墓"……

校舍是终于安装上了门窗，里边是终于摆上了课桌椅，孩子们是终于得以上学了。

当教室里传出第一阵朗朗的读书声时，又下雪了，大雪纷飞……

大鸟

大鸟是我的朋友。不，这样说似乎不太符合实际情况。或者应该更准确地说，我被大鸟认为是他朋友。总之，我觉得二者之间是有点儿区别的。

大鸟没有什么朋友，所以自从我被他认为是他朋友之后，我也就只能充作他朋友了。

大鸟是我的大学同窗，或者反过来说，我是大鸟的大学同窗。这一历史事实是由当年的历史安排的。后来我成了他的朋友，却没历史什么干系……

大鸟姓曲，叫曲海江。他的父亲当年是某军区政委。军职辖政，在“四人帮”时期曾显赫一时。按古比今，他属“正黄旗”弟子。当年我们一些“红后代”都很嫉妒他，嫉妒他还又巴结他。

他生性追求享乐，经常邀四五学友，到离大学不远的饭店“撮一顿”。出手阔绰，少则七八元，多则二十几元。当年人民币很对得起人民，二十几元能点一桌子菜。对大学生来说，岂止算是阔绰，简直等于奢侈了。他还好色，有几分姿色或自以为有几分姿色的年轻女性，包括校园内的，十之八九也都常常是乐意青睐于他的。他仪表堂堂，风流倜傥，桃花运稠。分不大清究竟是他“猎”她们，还是她们“猎”他……

我们虽同在中文系，但并不在一个专业。我属创作专业，他属评论专业，同窗乃广义而言。他高我一届，在欢迎我们那一届新生的联欢晚会上，他的英俊和他的节目，给我留下极深刻的印象……

“下面，是大鸟精彩的‘口奏’表演……”

未等主持晚会的人将要说的话全说完，掌声便响成一片，经久不息，显然许多人早已期待着了。

热烈的掌声中他从容亮相，一米八左右的个头儿，穿一身将校呢军装，脸膛方正，浓眉大眼，仿佛光往众人面前一站就是一种风采。用今天时髦的话形容——特性感，帅气十足。好像他很明白这一点，神气骄矜。我觉得周围的空气都热乎乎的了，我周围坐的尽是女生，空气无疑是被她们的情绪搞的。

所谓“口奏”，是以类乎口技那一种技巧，靠他的神奇的舌头“演奏”的交响乐。

他先“演奏”的是革命交响诗《黄河大合唱》片段。

他嗓音洪亮而高亢，感情很充沛，很投入，抑扬顿挫，似受过名家训练，颇得朗诵要旨。

“朋友，你到过黄河吗？

你听过黄河之咆哮吗？

你听过船夫们与惊涛骇浪搏斗时，

呼喊出的号子吗？

如果你没有，

那么请听吧！”

朗诵之后，他倏舒长臂向观众中一指，当时我觉得他所指正是我。我想我周围的每一个人，大概和我一样，都觉得指的是自己。

他说：“钢琴起……”

于是我和众人听到了荡气回肠的劲指击键之声……

于是他开始“弹”一架任谁都看不见的钢琴，它仿佛确实存在着。激越的旋律仿佛并非是从他口中发出的，而是由一架钢琴发出的，由一架与大师级演奏家相匹配的钢琴发出的……

他双腿站得极稳，生了根似的，上身却前俯后仰。那是绝非一般人所能做到的，需要相当过硬的基本功。他两臂左起右落，时展时收。十指弹抹点按，惟妙惟肖。他那张口忽开忽闭，闭口时腮部微微嚅动，做殷承宗式的咀嚼状，而旋律便从鼻孔发出。开口时两眼也同时睁大，仿佛真能看到了黄河也看到了出生入死着的船夫们……他的表情他的动作瞬息万变，逼真而夸张。他整个人进入一种出神入化走火入魔的境界……

于是他仿佛变成了殷承宗。

“小提琴介入！”

于是钢琴渐弱……

于是小提琴声顿起……

非是一把，而是至少五十把小提琴的整齐和弦……

于是他又成了李德伦，成了盛中国，交替扮演着指挥家和小提琴家的角色，两种角色相得益彰，相映生辉，相映成趣。两种潇洒两种风度直看得人们目瞪口呆，直听得人们神志恍惚。我当时觉得那情形近乎猛烈的催眠术——他一个人对三百多人的大家进行的，还有一半人是外系的学生。他们当然不是为中文系的新生而来的，纯粹是冲着他一个人的吸引力而来的。你也可以想象那情形近乎跳大神儿，但跳大神儿的无法带领着一支庞大的隐形的交响乐队，也达不到他那么高的模仿音乐艺术家的水平……

“大提琴！”

“圆号！”

“主旋律突出！渐强！更强！最高潮！”

忙里偷闲的，他还能胜任解说。

“划哟划哟划哟！”

最后他又成了一名舞蹈者。

一边继续“口奏”一边“划哟”。

于是众人跟他一齐喊——“划哟划哟划哟！……”

跟他一齐体验战胜惊涛骇浪之后的喜悦，并和他一齐发出胜利的欢呼……

今天想来，当年大家之所以那么喜欢他和他那一种特殊的表演，也许很大程度上是因为那种观赏相当刺激。以当年而言，其刺激性肯定大于劲歌劲舞。当年是阶级斗争和路线斗争的年代。阶级斗争和路线斗争也人为地创造出许多的刺激，但毕竟是风险性很大的刺激，对人们的心理影响毕竟首先是人人自卫唯恐不慎唯恐不及，所以也就不能怎么真的喜闻乐见。大鸟则不同了。显然的，当年人们特欢迎他带给人们的那一份儿格外的刺激。何况他和大家，都可以打着弘扬革命文艺的招牌，肆无忌惮地追求一场又一场高潮。在这一点上，我深信他和大家有某种心照不宣的默契的。

你可以想象他是当年的、中国的、阶级斗争和路线斗争的火药味儿日愈浓烈的大学校园中的、即使不被鼓励也不至于被禁止的、帅赳赳虎彪彪一个男性的——麦当娜。

按照晚会主持者的节目安排，其实只给了他表演《黄河大合唱》片段的时间。

可是观众哪能相依呢？

大家拍桌子，顿足，一片声地喊：

“大鸟，再来一个！”

“大鸟，再来两个！”

“大鸟，‘打虎上山’！”

“大鸟，‘捉鸡’！”

他气喘吁吁。他出了满头汗。看得出来，他很累。那样子跟刚刚独自一人卸完了一卡车货物差不多。当然的，他同时获得了极大的心理满足。

他企图夺门而出，想逃离教室。但有几名同学早防备着了，他们预先堵在门口，使他逃不成。

他笑了，笑得有几分无奈更有几分愉悦，因而也就笑得腼腆笑得可爱。

他很帅地甩了一下头，汗珠四溅，落在最前一排人的脸上身上。

他们体恤地说：“大鸟累了，让他歇几分钟吧！”

“下一个节目……”

主持人不失时机地想要取而代之，继续下去，可是遭到了一片嘘声。

人们又拍桌子顿足表示反对，乱吵吵乱嚷嚷——“不许扭转大方向！”

大鸟倒同情起主持人来了！

他庄重地说：“感谢大家的鼓励，再露一手！”

于是大家鼓掌。

于是大家不约而同，齐声地为他背诵毛主席语录——“下定决心，不怕牺牲，排除万难，去争取胜利！”

于是他又“口奏”“打虎上山”和革命现代舞剧《沂蒙颂》中“捉鸡”一场——仿佛将一只任谁都看不见的“鸡”捉得满教室飞窜……

晚会结束后，我们的辅导员老师陪着我们几个男生往宿舍楼走。

我们问他那位“大鸟”同学叫鸟什么？

他忍俊不禁，说百家姓中哪有姓鸟的啊！说他姓曲，叫曲海江。

我们自然要追问那为什么都叫他“大鸟”？

辅导员老师笑而不答……

几天后的一个晚上，我正独自在宿舍里看书，有人敲门。敲得很神秘，三下一组，一轻二重，仿佛联络暗号。

我以为是同宿舍的人百无聊赖，未予理睬。

“梁晓声同学在吗？”

一个女性的甜甜的声音在外面问，音质美得悦耳，宛如莺啼。

我便不能够再独自寂寞得住，立刻起身去开了门。门外站的竟是大鸟。除了他，连个女性的虚影儿也不见。门上，图钉按着一张卡片，卡片上写着我们这一宿舍六名同学的姓名。我的姓名荣占鳌头，这一点是新生宿舍的传统。我立刻明白中了他的计，不禁有几分羞恼。

他问："梁晓声是你？"

我说："是我。"

他见我并没有打算将他请入的意思，也不在乎，又问："咱们这幢楼怎么静悄悄的？鸟人们都到哪去了？"

我说："无可奉告。"

他的身材比我高得太多。他研究地俯视着我，指指门上的卡片："这个鸟梁晓声真是你？"

我说："滚你妈的！"将门"砰"地一关，插上了。

我以为他会大怒，会踢门，会在走廊里反骂……

他却没有。他的脚步声在门外徘徊片刻，若有所失地离去了。我想他这么一位受众宠惯了的人物，肯定不曾被当面骂过。我想肯定是我把他骂蒙了。这想法使我快感。

"你看什么鸟书哪？"——我们宿舍在一楼，声音发自窗前。我当时正坐窗前，冷不丁听到这么一句，吓了一大跳，猛抬头，又是他，隔窗笑嘻嘻地瞅我。

我骂了他，他不但没生气，反而对我表示亲和，使我感到很尴尬，很自责，甚至开始有那么点儿受宠若惊了。

我说看的是《拿破仑传》。

"有意思吗？"

我说挺有意思的。

"你为什么骂我？"

我说我不喜欢别人跟我开低级的玩笑。

"你把我当成一个爱开低级玩笑的人？"

他一纵身，坐到了窗台上。

我说那倒不是。我请他原谅。我告诉他礼堂放映电影，人们全都看电影去了。

他问我怎么不去？

我说是放阿尔巴尼亚电影《宁死不屈》，我早看过不知多少遍了。反问他何以不知道礼堂放电影？

他说他到他父亲的一位老战友家住了几天，刚返校。

我想他可真自由，想到哪儿住几天，就可以去住几天，似乎根本不受什么约束。并且对他能享有的这一种特权，内心里产生了几分妒意，和几分愤愤不平……

他又问我，如果是一部“内参片”，比如一部美国片《冷酷的心》，愿不愿看？

我说那还用问嘛！

他就从我手中夺过书，抛在我床上。随即将上身探入室内，两手插我腋下，像提一件东西似的，隔窗就把我提到了外面。

我瞧着他目瞪口呆。

他替我掩上窗，搂着我肩说：“走，陪我去看《冷酷的心》。我有两张票，正愁找不到伴儿。”

那是我生平第一次看“内参片”，一种幸运感油然而生。

他说以后这种幸运的机会全归我了，他不打算再转移给别人了。他说有些人太不可爱，明明沾了他的光，背地里却还要散布些关于他的蜚短流长。

他问我听到些什么关于他的谣言没有？

我说我刚入校门，哪儿会这么快就传入我耳中呢？

他希望我听到了也别相信，说他并不在乎，只不过有时候觉得讨嫌。

我向他保证我绝不令他讨嫌。

于是他大孩子般的高兴起来，非要请我吃夜宵，点了六七样菜，两盘五香鸡头和几大杯啤酒。

他喝啤酒像喝凉开水，一口气儿一杯。他那么爱啃五香鸡头，啃得很技术，很斯文，很儒雅，和某些爱吃和善于吃蟹的人一样在行。两盘二十个鸡头，我只啃了三个，还是在他的鼓励和督促之下解决的，其余的全让他自己解决了……

在我心目中，他该是个极不寻常的人，因为他是一个正宗"高干子弟"，是我所实际接触过的最"高"的一个。起初我看他，觉得他有光环，和他在一起，那光环逼射我。渐渐的我开始觉得他其实很寻常，尤其是当他喝了许多酒之后更寻常了。因为他醉意醺醺的时候和最寻常的人一样，话多而且话题琐碎，这使我的心里获得极大安慰。

我学他的口吻，指着他的鼻子不恭地说："你这个鸟人呀，其实没啥了不起！甭以为我会把你当成个人物……把你……当成个狗屁人物！……"

尽管我没喝多少酒，但是也醉了。借着那股七分真三分假的醉劲儿，我索性放肆一把。他醉了的时候变得寻常了，我醉了的时候和他恰恰相反，变得不寻常了。自我感觉不寻常了的我，便能说出些自认为不寻常的话了……

他在我肩上重重地一拍，接着将整条手臂搭在我肩上，亲密地搂着我说："对，对。我是个狗屁！……来，为我是个狗屁……干杯！……我父亲……至今……认识的字超不过五六百个……小学一二年级文化程度……你说，可……怎么办？"

我说："没……办法……谁让你……摊上了呢……"

我心里清楚我没他那么醉。我因我自己说出的话感到困惑——他摊上那么一位父亲，再夸大其词地说也不能认为是不幸，而他居然觉得委屈觉得可悲似的，而我还装模作样对他表示同情！

他说他在部队当过兵，会开车，会开炮，说给他架飞机他也会开，敢开……

他说他在军区文工团也混过几年，会弹钢琴，会拉大提琴，会拉小提琴，他几乎一切乐器都摆弄过。在各大军区会演中，还充当过乐团指挥……

他说他父母总希望他爱上一行，专上一行，要么成名成家，要么当官。他说当官这条路，他觉得太熬人，不是适合他走的人生路。若让他从连长当起他才不干，给他个团长当当他也觉得太小，又不太可能谁舌头一撞牙，起始就给他个司令员什么的当……

他说他本是可以在音乐方面专出点儿名堂的，就是因为对什么都不满意，偏什么都不专。

我问他究竟对什么不满意？

他说对他父母不满意。不满意他们对他总抱有那么多的那么急迫的希望，不满意他一次次使他们失望，而他们却一种希望落空了，成为泡影了，不久又对他抱有新的更急迫的希望。他说他也对自己不满意，不满意自己的不争气，不满意自己明明有条件有能力争气也不争的生活态度……

他说着说着哭了，哭着向我坦白自尊曾受到的极大的伤害，伤害他的是他父亲的老战友的女儿。她非常漂亮，他非常爱她，而她非常瞧不起他。她指着他的鼻子说他："甭以为我会把你当成个人物！把你当成个狗屁人物！"

和我指着他鼻子说的一样……

我特感动。我认为一个人在和你刚刚结识没多久时，便主动使你了解到他的某些隐秘的生活情绪和内心痛苦，那么这个人起码是值得你认真对待的。

从此我们似乎要好起来……

从此他经常邀我看"内参片"，吃夜宵……

一次他对我说："你这个鸟人，我告诉了你那么多关于我个人的事，我已经没法儿不把你当成朋友了！"

我默默思忖他的话，觉得不无道理。

对他的某些隐秘的生活情绪和内心痛苦，我守口如瓶。

因为他太习惯了把别人戏称为"鸟人"，别人便以其人之道还治其人之身，回赠了他一个绰号"大陆鸟人"，后来这绰号进化为"大鸟"……

新闻系的宣传栏，某日出现了一张大字报，不指名地对"大鸟"进行批判，说他那一种所谓的"口奏"，完全是对革命样板文艺的亵渎。这张大字报倒未引起什么政治性质的风波，也并未对大鸟造成什么实际的精神压迫和威胁。大鸟去看了，看后只嘟哝了一句："这鸟人，吃饱了撑的嘛！"

他不在乎，似乎没有什么事儿真能使他在乎起来。

但是中文系的许多同学在乎，包括几位老师也特别在乎。大家认为矛头不只是冲着大鸟的，也分明是冲着中文系的，认为有种欲加之罪何患无辞的歹毒用心埋伏在字里行间。这么认为并不算太敏感太过分，符合那张大字报的本质。

尽管那张大字报第二天便被另外的大字报覆盖了，但中文系的大部分同学连日来耿耿于怀。有人终于调查清楚，炮制者是新闻系的“小春桥”，一名左得不能再左因而备受工宣队器重的男生，并且是全校马拉松冠军保持者。

许多同学认为有必要对此人予以回敬，却不知该采取什么方式。大家认为那方式既应是公开的，也应是光明正大的，合法的，尤其应该符合报复行为的起码道德准则。这就够费脑筋的，比集体炮制一张反击性的大字报难度大得多。

有一天几名同学又聚在大鸟的宿舍里就此进行密谋和策划。

大鸟不主张报复，他劝大家拉倒吧。他说我大鸟都不在乎，你们在乎什么哇？

大家就火了，一齐激烈地围剿他。都说大鸟你这个鸟人，什么玩意儿啊！这么多人替你打抱不平，你反而装厚道，你他妈的多虚伪呀！再说是你一个人的事儿吗？……

他说：“你们以为我就真的不想报复啊！老子想！不过老子用不着你们这些鸟人帮我。不是就要举行全校运动会了吗？你们到时候一致推举我当咱们中文系的马拉松赛选手行不行？我大鸟一出马，那小子今年的冠军就没戏了！我保证这一项的冠军是咱们中文系的，保证能比他的速度快五分半左右……”

大家瞪着他，都不知道该不该信他。

他又说：“我不骗你们这些鸟人，我曾经是全军区野营拉练赛的亚军。去年如果我出场，奖牌就不是他的，而是我的了。今年我要得到我去年不稀罕得的奖牌。”

他仰躺在双层床上，吸一口烟说一句，语调极为平淡。

而大家不禁听得肃然起敬。

一同学愣了半天，板着脸说："这件事非同小可。大鸟，你若开我们的玩笑，我们就让你毕业前没好日子过！"

他说："那咱们一言为定了。"

没人站起来看看他的表情，大家面面相觑而已。

又一同学说："大鸟，我信你！到时候，咱们组织全系都去做你的啦啦队，为你呐喊助威，你那一天可一定要争气啊！"

他说："多谢了，不过我根本不需要你们这么热忱。我得到原本应该属于我的东西，犯不着劳师动众的。"

大家又是一阵面面相觑。

他从上层床垂下一条手臂，手夹着烟，食指一弹，烟灰飘散在大家头顶。

当时我也在场，我觉得无论冲着他，还是冲着我是一名中文系的学生这一点，似乎都不应该始终沉默，似乎都得发表看法才对。

于是我说——我反对全系都去做大鸟的啦啦队。既然他稳操胜券，我们岂非显得多余？也许大鸟的获胜，还会被认为是情绪可卡因偶尔制造的奇迹。恰恰相反，我主张全系那一天都去为对方呼喊助威。既然对方必败无疑，偏偏让他在我们中文系为他呼喊助威的啦啦声中，最终败给我们中文系的选手，那是一种什么情节？那样的情节才是大手笔的构思。退一步说，如果大鸟不幸输了，也输不掉我们中文系的体面。说不定我们还能获得一面比赛风格奖旗……

对我的话，大家保持了好一阵子令我难堪的沉默。

终于有一个人以充满道德感的语调说："那对大鸟是不

是太……”

大鸟说：“好！高！我喜欢这个杰出的构思。”

他那条手臂仍垂着，烟仍在手，食指再次一弹，又一片烟灰飘散在大家头顶……

比赛那一天，场面很隆重。马拉松是众目所瞩的项目，全校都对中文系的古怪热忱莫名其妙，匪夷所思。

中文系打了的大小横幅上，全都是为新闻系的当然选手——全校冠军增添信心的文字：

“×××，不获胜，毋宁死！”

“×××，让事实证明，冠军仍非你莫属！”

“×××，奖牌在向你微笑！”

新闻系的学生，或者以为大鸟因为什么将中文系的同学全得罪了，或者以为中文系的学生全都精神失常了。

他们都显得很亢奋，很幸灾乐祸。

别的系也有些同学很替大鸟难过，很是同情于他。一个人的人缘儿恶到这种地步，细想想，却也着实令人同情呢！

上届冠军频频向观众招手，既向新闻系招手，也向中文系招手，仿佛他已经又得了冠军似的……

众目睽睽之下，大鸟一副被逼上场，被彻底出卖，被羞辱与被损害得无精打采的可怜模样……

枪声一响，中文系的学生发出排山倒海、声震九霄的呼喊：

“×××，加油！”

“×××，加油！”

“×××，快快快！×××，要争气！”

那一项所谓马拉松，不过是在运动场内进行的十四圈长跑而已。在前十圈中，大鸟一会儿跑于对方前面，一会儿跑于对方后面。他跑于对方前面时，跑得踉踉跄跄，摇摇晃晃，仿佛力气早已耗尽，随时可能一头栽倒的样子，还频频回头看对方。他跑于对方后面时，张扬着双手仿佛溺水者要抓住什么救命的东西，仿佛随时打算放弃竞争，退出赛场的样子。连我们几个参与过密谋的人，也搞不清楚他是真的还是一种表演。可是正当中文系的同学对他彻底绝望时，他令人不可思议地又跑到对方前面去了……

从第十圈开始，他突然长劲十足，一往无前地跑起来。当对方刚刚跑到十二圈，他已快跑至终点了。不过在距离终点一百多米处，他不往前跑了，而转身往回跑，跑至对方旁边，陪同着对方跑……

中文系的学生们那种欢呼那种开心的情形简直没法儿形容!

“×××，加油!”

“×××，快快快!”

排山倒海、声震九霄的喊声一浪接一浪……

“×××，不获胜，毋宁死!”

“×××，让事实说话，冠军非你莫属!”

中文系的几名学生站起，将大小横幅高高擎举，全体一齐向大鸟发出欢呼……

而新闻系死寂无声。

他们大概都不明白结果怎么会是那样……

大鸟仍“友谊第一”地陪着对方跑……

在中文系的欢呼声中，对方又跑了几十米，不再跑了，退出了运动场……

大鸟并没获得奖牌，裁判员们认为，他毕竟也没跑到终点，毕竟也没撞线，若发给他奖牌，似乎名不正言不顺，有违运动规则。

当然，对方也不再是冠军。

中文系的许多同学和几名老师不服，找校方理论，说二人根本不在同一运动水平线上，胜负有目共睹，还非须撞红线不可吗?

大鸟倒不在乎什么奖牌不奖牌的。

但他不在乎，别人可在乎。

到了，还是为他争了一块“友谊第一”的纪念奖牌，为中文系争了一面“比赛风格优秀”锦旗。

那块奖牌大鸟不稀罕，送给了我。

他说：“你是幕后策划，功劳应该归你，你留作纪念吧！”

又说：“你这鸟人，怎么想出那种点子来的呢？你是不是心眼儿很坏哇？”

我说：“心眼儿好的人也偶尔恶作剧。”

从此他更加把我当朋友……

“四人帮”垮台的时候，正是他那一届学生的毕业前夕。他不再邀我陪他看“内参片”了，也不再请我吃夜宵了，甚至极少到我的宿舍来了。我们仍常常碰面。他变得阴郁了，变得寡言寡语了，碰了面也不过点点头而已。我觉得他在有意疏远我，躲避我。中文系的同学们也不再像以前那么爱往他宿舍里聚了。和他同届的忙于做离校前的准备，或者为自己的分配去向而烦愁而窃喜，说许多人心怀鬼胎也不过分。各自的烦愁和窃喜，那时候是最秘而不宣的，甚至都很害怕被别人窥测到，所以也就都很忌讳往一块儿凑。低于他那一届的同学，都希望自己能在政治提供的特殊条件下，较充分地自我表现什么，自我证明什么，所以都忙于参加各种会，忙于抄写大字报，忙于创作批判稿。他失了往日的魅力和吸引力，是自然而然的。人们似乎都忘记了他曾给人们带来的种种愉悦和刺激，也似乎都忘记了曾多么需要他和欢迎他那份儿对谁都不吝啬的友好。

一个下着小雨的晚上，他意外地又找我。

他没进宿舍，像第一次想邀我去看“内参片”而被我关在门外一样，他出现在窗口，轻轻地唤我。

楼檐水落在伞上，发出很响的声音，溅到屋里。

同宿舍的几个同学全在，他们都用一种猜疑的眼光望望我，或者望望他。

“你现在有空儿吗？”

他表情复杂。

我回答说有。

“我想请你去吃夜宵，去不去？也许是我最后一次请你吃夜宵了……”

他对宿舍里的任何人都不看一眼，目光只盯着我，目光格外阴郁。

同宿舍的同学们保持着各自矜持的未闻未见般的沉默。我知道他们内心里对他的态度一如既往，并没发生什么变化，他们只不过不愿招惹他。他当时那种样子肯定使他们觉得，哪怕一句被他认为稍微不敬的话，都可能使他感到无端地受了轻视，受了伤害，受了刺灼……

我立刻回答——去！

依旧是在五角场，依旧点了五香鸡头佐酒。

我试探地关心地问："你父亲不至于有什么大问题吧？"

他低声说："他死了。"

说罢，继续细微地啃一个鸡头。

我不禁"哦"了一声。

"是自杀的。"

"……"

"其实他陷得并不深，并不会把他怎么样，完全是因为他自己太想不开。"

他喝了一口酒，有滋有味地咂鸡头。

我将我的一只手轻轻放在他的一只手上，我希望他能体会到这是一种出于友情的表示安慰的小动作。

他却似乎困惑地看了我一眼，仿佛是在说我不需要你这种表示，我不在乎。任何情况下，大鸟仍是大鸟。

我倒被他看得有些难为情了。

"再吃一个吧，难道你真的不爱吃？……这家的五香鸡头最好吃。"

末一句话，他是低声学毛主席的语调说的。我认为他真是学得像极了，肯定他自己也是无比自信地这么认为的。

他朝我眨眨眼，似乎很快意地笑了笑。

我也笑了笑，抓起了一个鸡头，学他的样啃着咂着吮着。

我暗暗惊讶于他伪装出那种快意的技巧。

他又喝了一口酒，转动着酒杯说："人唯一命，就是那么一回鸟事。所以，该享乐便享乐。宁富贵十日而死，不寒酸百年苟活。”

我慎赔一笑而已。

我以为那天他必会一醉方休，可他却喝得很节制，也未频频对我劝杯……

我们离开那家小饭店时，雨比来时下得大了。仍像来时一样，他撑着伞。他尽量使我不被雨淋。他的个子太高，遮护了我，他就只好把自己奉献给雨了。我们深一脚浅一脚地回到学校，他的衣服已全湿了……

他辞校那天，相送的人不多，我当然是不多的人中的一个。他从车窗探出身同我们一一握手时，哭了。泪潸潸下，唏嘘有声。

我第一次见他哭。

列车开动时我仍握着他手，我随列车跑了几步对他说：“你来信！”

他没给我写过信，起码是我没收到过他的信。直至我毕业的一年时间里，我不曾知道过他的详细通讯地址，别人也不知道。他如泥牛入海，仿佛在这个世界上销声匿迹了。

有一位老师知道过他的一点点情况，说他返部队后很快便复转了，却不知是自愿的还是不得已的。又说他复转后归原籍了，在县上某中学当老师，却羞为师表，工作得并不怎么受好评。那位老师对自己所知道的一点点情况的确切性也无把握，不过我还是从他那儿抄来了不确切的通讯地址，给大鸟接连发了几封信。发出的信也如泥牛入海，杳无回音。

于是我更加回想起他为人的某些长处——生性耿介，颇敢仗义执言；见人有危难，乐充侠士风格；虽有些放浪形骸，潇洒不羁，但是待人平等，从未闻其歧人，从未闻其欺人。

我手中保留有几篇他写的散文或杂文底稿，文言多用俚语，白话点串之乎，惯以司门人言，遣惊世骇俗之词，亦庄亦谐，独具才情，我认为他本是可以成为专栏作家的。

我想他只留给了我这么一点点能促使我经常回忆起他的东西，我得好好收藏着。毕竟，他曾把我当成他的一个朋友……

第三辑

红腰带

初恋

我的初恋发生在北大荒。

许多读者总以为我小说中的某个女性是我恋人的影子，那大错特错。她们仅是一些文学加工了的知青形象而已，是很理想化了的女性。她们的存在，只证明作为一个男人，我喜爱温柔的、善良的、性格内向的、情感纯真的女性。

有位青年评论家曾著文，专门研究和探讨一批男性知青作家笔底下的女性形象，发现他们（当然包括我）倾注感情着力刻画的年轻女性，尽管千差万别，但大抵如是。我认为这是表现在一代人的情爱史上惨淡的文化现象和倾向。开朗活泼的性格，对于年轻的女性，当年太容易成为指责与批评的目标，在和时代的对抗中，最终妥协的大抵是她们自己。文章又进一步论证，纵观大多数男性作家笔下缱绻呼出的女性，似乎足以得出结论——在情爱方面，一代知青是失落了的。我认为这个结论大致是正确的。

我那个连队，有一排宿舍——破仓库改建的，东倒西歪。中间是过廊，将它一分为二。左面住男知青，右面住女知青，除了开会，互不往来。

幸而知青少，不得不混编排，劳动还往往在一块儿。既一块儿劳动，便少不了说说笑笑，却极有分寸，任谁也不敢超越。男女知青打打闹闹，是违反行为规范和道德准则的，是要受批评的。但毕竟都是少男少女，情萌心动，在所难免，却都抑制着。对于当年的我们，政治荣誉是第一位的，情爱不知排在第几位。星期日，倘到别人的连队去看同学，男知青可以与男知青结伴而行，不可与女知青结伴而行。为防止半路会合，偷偷结伴，实行了“批条制”——离开连队，由连长或指导员批条，到了某一连队，由某一连队的连长或指导员签字。路上时间过长，便遭讯问——哪里去了？刚刚批准了男知青，那么随后请求批条的女知青必定在两小时后才能获准，堵住一切“可乘之机”。如上所述，我的初恋于我实在是种“幸运”，也实在是偶然降临的。

那时我是位尽职尽责的小学教师，二十三岁，已当过班长、排长，获得过“五好战士”证书，参加过“学习毛主席著作积极分子代表大会”，但没爱过。

我探家回到连队，正是九月，大宿舍修火炕，我那二尺宽的炕面被扒了，还没抹泥。我正愁无处睡，卫生所的戴医生来找我——她是黑河医校毕业的，二十七岁，在我眼中是老大姐。我的成人意识确立得很晚。

她说她回黑河结婚。她说她走之后，卫生所只剩卫生员小董一人，守着四间屋子，她有点不放心。卫生所后面就是麦场，麦场后面就是山了，她说小董自己觉得挺害怕的。最后她问我愿不愿在卫生所暂住一段日子，住到她回来。

我犹豫，顾虑重重。她说："第一，你是男的，比女的更能给小董壮壮胆。第二，你是教师，我信任。第三，这件事已跟连里请求过，连里同意。"我便打消了重重顾虑，表示愿意。那时我还没跟小董说过话。卫生所一个房间是药房（兼作戴医生和小董的卧室），一个房间是门诊室，一个房间是临时看护室（只有两个床位），第四个房间是注射室消毒室蒸馏室，四个房间都不大。我住临时看护室，每晚与小董之间隔着门诊室。

除了第一天和小董之间说过几句话，在头一个星期内，我们几乎就没交谈过，甚至没打过几次照面。因为她起得比我早，我去上课时，她已坐在药房兼她的卧室里看医药书籍了。她很爱她的工作，很有上进心，巴望着轮到她参加团卫生员集训班，毕业后由卫生员转为医生。下午，我大部分时间仍回大宿舍备课——除了病号，知青都出工去了，大宿舍里很安静，往往是晚上十点以后回卫生所睡觉。

"梁老师，回来没有？"

小董照例在她的房间里大声问。

"回来了！"

我照例在我的房间里如此回答。

"还出去吗？"

"不出去了。"

"那我插门啦？"

"插门吧。"

于是门一插上，卫生所自成一统。她不到我的房间里来，我也不到她的房间里去。

"梁老师！"

“什么事？”

“我的手表停了，现在几点了？”

“差五分十一点。你还没睡？”

“没睡。”

“干什么呐？”

“织毛衣呢！”

我清清楚楚地记得，只有那一次，我们隔着一个房间，在晚上差五分十一点的时候，大声交谈了一次。我们似乎谁也不会主动接近谁。我的存在，不过是为她壮胆，好比一条警觉的野狗——仅仅是为她壮胆。仿佛有谁暗中监视着我们的一举一动，使我们不得接近，亦不敢贸然接近。但正是这种主要由我们双方拘谨心理营造成的并不自然的情况，反倒使我们彼此暗暗产生了最初的好感。因为那种拘谨心理，最是特定年代中一代人的特定心理，一种荒谬的道德原则规范了的行为。如果我对她表现得过于主动亲近，她则大有可能猜疑我“居心不良”。如果她对我表现得过于主动亲近，我则大有可能视她为一个轻浮的姑娘。其实我们都想接近，想交谈，想彼此了解。

小董是牡丹江市知青。在她眼里，我也属于大城市知青。在我眼里，她并不美丽，也谈不上漂亮，我并不被她的外貌吸引。

每天我起来时，炉上总是有一盆她为我热的洗脸水。接连几天，我便很过意不去。于是有天我也早早起身，想照样为她热盆洗脸水，结果我们同时走出各自的住室。她让我先洗，我让她先洗，我们都有点不好意思。

那一天中午我回到住室，见早晨没来得及叠的被子叠得整整齐齐，房间打扫过了，枕巾有人替我洗了，晾在衣绳上。窗上，还有人替我做了半截纱布窗帘，放了一瓶野花。桌上，多了一只暖瓶，两只带盖的瓷杯，都是带大红喜字的那一种。我们连队供销社只有两种暖瓶和瓷杯可卖，一种是带“语录”的，一种是带大红喜字的。

我顿觉那临时栖身的看护室，有了某种温馨的家庭气氛，甚至由于三个耀眼的大红喜字，有了某种新房的气氛。

我在地上发现了一截姑娘们用来扎短辫的曲卷着的红色塑料绳，那无疑是小董的。至今我仍不知道，那是不是她故意丢在地上的，我从没问过她。

我捡起那截塑料绳，萌生起一股年轻人的柔情。受一种莫名其妙的心理支配，我走到她的房间，当面还给她那截塑料绳，那是我第一次走入她的房间。我腼腆之极地说：“是你丢的吧？”她说：“是。”我又说：“谢谢你替我叠了被子，还替我洗了枕巾……”她低下头说：“那有什么可谢的……”我发现她穿了一身草绿色的女军装——当年在知青中，那是很时髦的，还发现她穿的是一双半新的有跟的黑色皮鞋。我心如鹿撞，感到正受着一种诱惑。她轻声说：“你坐会儿吧。”我说：“不……”立刻转身逃走。回到自己的房间，心仍直跳，久久难以平复。晚上，卫生所关了门以后，我借口胃疼，向她讨药，趁机留下纸条，写的是——“我希望和你谈一谈，在门诊室。”我都没有勇气写“在我的房间”。一会儿，她悄悄地出现在我面前。我们也不敢开着灯谈，怕突然有人来找她看病，从外面一眼发现我们深更半夜地还待在一个房间里……

黑暗中，她坐在桌子这一端，我坐在桌子那一端，东一句，西一句，不着边际地谈。从那一天起，我算多少了解了她一些：她自幼失去父母，是哥哥抚养大的。我告诉她我也是在穷困的生活环境中长大的。她说她看得出来，因为我很少穿件新衣服。她说她脚上那双皮鞋，是下乡前她嫂子给她的，平时舍不得穿……

我给她背我平时写的一首首小诗，给她背我记在日记中的某些思想和情感片段——那本日记是从不敢被任何人发现的……

她是我的第一个“读者”。

从那一天起，我们都觉得我们之间建立了一种亲密的关系。

她到别的连队去出夜诊，我暗暗送她，暗暗接她。如果在白天，我接到她，我们就双双爬上一座山，在山坡上坐一会儿，算是“幽会”，却不能太久，还得分路回连队。

我们相爱了，拥抱过，亲吻过，海誓山盟过，都稚气地认为，各自的心灵从此有了可靠的依托。我们都是那样地被自己所感动，亦被对方所感动，觉得在这个大千世界之中，能够爱一个人并被一个人所爱，是多么幸福多么美好！但我们都没有想到过没有谈起过结婚以及做妻子做丈夫那么遥远的事，那仿佛的确是太遥远的未来的事。连爱都是“大逆不道”的，那种原本合情合理的想法，却好像是童话……

爱是遮掩不住的，后来就有了流言蜚语。我想提前搬回大宿舍，但那等于“此地无银三百两”。继续住在卫生所，我们便都得继续承受种种投射到我们身上的幸灾乐祸的目光，舆论往往更沉重地落在女性一方。后来领导找我谈话，我矢口否认——我无论如何不能承认我爱她，更不能声明她爱我。

不久，她被调到了另一个连队，我因有着我们小学校长的庇护，除了那次含蓄的谈话，并未受到怎样的伤害。你连替你所爱的人承受伤害的能力都没有，这真是令人难堪的事！后来，我乞求一个朋友帮忙，在两个连队间的一片树林里，又见到了她一面。那一天淅淅沥沥地下着雨，我们的衣服都湿透了，我们拥抱在一起流泪不止……

后来我调到了团宣传股，离她的连队一百多里，再见一面更难了。我曾托人给她捎过信，却没有收到过她的回信，我以为她是想要忘掉我……

一年后我被推荐上了大学。据说我离开的那一天，她赶到了团里，想见我一面，因为拖拉机半路出了故障，没见着我。

一九八三年，《这是一片神奇的土地》获奖，在读者来信中，有一封竟是她写给我的！算起来，我们相爱已是十年前的事了。

我当即给她写了封很长的信，装信封时，即发现她的信封上，根本没写地址。我奇怪了，反复看那封信。信中只写着她如今在一座矿山当医生，丈夫病故了，给她留下了两个孩子……最后发现，信纸背面还有一行字，写的是——想来你已经结婚了，所以请原谅我不给你留下通讯地址。一切已经过去，保留在记忆中吧！接受我的衷心的祝福！

回信已写就，不寄心不甘。细辨邮戳，有“桦川县”字样，便将信寄往黑龙江桦川县卫生局，请代查卫生局可有这个人，然而空谷无音。

初恋所以令人难忘，盖因纯情耳！纯情原本与青春为伴，青春已逝，纯情也就不复存在了。如今人们都说我成熟了，自己也常这么觉得。近读青年评论家吴亮的《冥想与独白》，有一段话使我震慑——

“大概我们已痛感成熟的衰老和污秽……事实上纯真早已不可复得，唯一可以自慰的是我们还未泯灭向往纯真的天性。我们丢失的何止纯真一项？我们大大地亵渎了纯真，还感慨纯真的丧失，怕的是遭受天谴——我们想得如此周到，足见我们将永远地离远纯真了。号啕大哭吧，不再纯真又渴望纯真的人！”

他写的正是我这类人。

红腰带

牛年是我本命年。

屈指一算，我已与牛年重逢四次了。于是联想到了孔乙己数茴香豆的情形，就有一个惆怅迷惘的声音在耳边喃喃道："多乎哉？不多也。"自然是孔乙己的传世的名言，却也像一位老朋友做为难之状大窘地暗示——其实是打算多分你几颗的。可是你瞧，不多也，真的不多也！

于是自己也不免大窘，窘而且恓惶。前边曾有过的已经消化掉在碌碌的日子里了，希望后边儿再得到起码"四颗"，而又明知着实太贪心了。只那意味着十二年的"一颗"，老朋友孔乙己似乎都不太舍得超前"预支"给我。人在第四次本命年中，皆有怅然若失之感。元旦前的某一天，妻下班回来，颇神秘地对我说："猜猜我给你带回了什么？"猜了几猜，没猜到。妻从挎包掏出一条红腰带塞在我手心，我问："买的？"妻说："我单位一位女同事不是向你要过一本签名的书吗？人家特意为你做的。她大你两岁，送你红腰带，是祈祝你牛年万事遂心如意，一切烦恼忧愁统统'姐'开的意思……"听了妻的话，瞧着手里做得针脚儿很细的红腰带，不禁地忆起二十四岁那一年，另一位女性送给我的另一条红腰带……

小时候，家里孩子多，又穷，母亲终日为生计操劳，没心思想到哪一年是自己哪一个儿女的本命年。我头脑中也就根本没有什么本命年的意识，更没系过什么红腰带。

二十四岁的我当然已经下乡了，是黑龙江生产建设兵团一师一团七连的小学教师。七连原属二团，在我记忆中，那一年是合并到一团的第二年，原先的二团团部变成了营部。小学校放寒假了，全营的小学教师集中在营部举办教学提高班。

几天后的一个傍晚，我去水房打水，有位女教师也跟在我身后进入了水房。她在一旁望着我接水，忽然低声问："梁老师，你今年二十四岁对不对？"

我说："对。"

她紧接着又问："那么你属牛喽？"

我说："不错。"

她说："那么我送你一条红腰带吧！"——说着，已将一个手绢儿包塞入我兜里。

我和她以前不认识，只知她是一名上海知青，一时有点儿疑惑，水瓶满了也未关龙头，怔怔地望着她。

她一笑，替我关了龙头，虔诚地解释："去年是我的本命年，这条红腰带是去年别人送给我的。送我的人嘱咐我，来年要送给比我年龄小的人，使接受它的人能'姐'开一切烦恼忧愁。这都一月份了，提高班就你一个人比我年龄小，所以我只能送给你。再不从我手中送出，我就太辜负去年把它送给我那个人的一片真心了啊！……"

见我仍怔愣着，她又嘱咐我："希望你来年把它转送给一个女的，让'姐'开这一种善良的祈祝，也能带给别人好运。这事儿可千万别传呀！传开了，一旦有人汇报，领导当成回事儿，非进行批判不可……"

又有人打水，我只得信赖地朝她点点头，心怀着种温馨离开了水房。那条红腰带不一般。一手掌宽，四余尺长，两面儿补了许多块补丁，当然都是红补丁。有的补丁新，有的补丁旧。有的大点儿，有的小点儿。最小的一块补丁，才衣扣儿似的。但不论新旧大小，都补得那么认真仔细，那么结实。我偷偷数了一次，竟二十几块之多。与所有的补丁相比，它显露不多的本色是太旧了。那已经不能被算作红色了，客观地说，接近着茄色，并且有些油亮了。分明的，在我之前，不知多少人系过它了，但我心里却一点儿也未嫌弃它。从那一天起，我便将它当皮带用着了……

它上边的二十几块补丁，引起了我越来越大的好奇心。我一直想向那一名上海女知青问个明白，可是她却不再主动和我接触了。在提高班的后几天我见不着她了，别人告诉我她请假回上海探家了。

一个月后，我收到了她从上海川沙县寄给我的一封信，信中说她不再回兵团了，已经转到川沙县农村插队了，也不再当小学老师了。

"我想，"她在信中写道，"你一定对那条红腰带产生了许多困惑。去年别人将它送给我时，我心中产生的困惑绝不比你少。于是我就问送给我的人，可是她什么也不知道，说不清。于是我又问送给她的人，那人也不知道，也说不清。我一个人接一个人地追问下去，终于有一个人告诉了我一些关于它的情况。现在，我把我所知道的告诉你——一九四八年，在东北解放战场上，有一名部队的女卫生员，将它送给了一名伤员——那一年是他的本命年。后来女卫生员牺牲了，他在第二年将它送给了他的新婚妻子，一九四九年是她的本命年。以后她又将它送给了她的弟弟，她弟弟隔年将它送给了他大学里的年轻女教师。到了一九五九年，它便在一位中年母亲手里了。她的女儿赴新疆支边，那一年是女儿的本命年。女儿临行前，当母亲的，亲自将它系在女儿腰间了。一九六八年，它不知怎么一来，就从新疆到了北大荒，据说是一位姐姐从新疆寄给亲弟弟的，也有人说不是姐姐寄给亲弟弟的，而是一位姑娘寄给自己第一个恋人的……关于它，我就追问到了这么多。我给你写此信，主要是怕你忘了我把它送给你时嘱咐你的话——来年你一定要转送给一位女性，还要告诉她，她结束了她的本命年后，一定要送给比她年龄小的男性。只有这样，才能使'姐'开人烦恼忧愁的祈祝一直延续下去……"

她的信，使二十四岁的我，非常之珍视系在我腰间的红腰带了。

我回信向她保证，我一定遵照她的嘱咐做。我甚至开始暗中调查，在我们连的女知青中，来年是谁的本命年……

但是不久我调到了团里。

第二年元旦后，我将它送给了团组织股的一名女干事。她是天津知青。当天晚上她约我谈心。

她非常严肃地问我："你送我一条红腰带是什么意思呢？你应该明白，你是初中知青，我是高中知青，咱俩谈恋爱年龄不合适，而且，我已经有男朋友了！……"

我说："你误解了，这事儿没那么复杂。今年是你本命年，所以我才送给你。按年龄我该叫你姐，我送给你，是'弟'给你好运的意思啊！"

她说："那这也是一种迷信哪！"

我说："就算是迷信吧，可迷信和迷信有所不同，不能一概而论的。"

"迷信和迷信会有什么不同？"她又严肃地板起了脸。

我思想上早有准备，便取出特意带在身上的那封信给她看。待她看完，我问："现在你如果还不愿接受，就还给我吧！"

她默默地还给了我——还的当然不是红腰带，而是那封信。

我见她眼里汪着泪了……

在我二十四岁那一年，心中的烦恼和忧愁，并不比二十二岁二十三岁时少，可以说还多起来了。我却总是这么安慰自己：也许我本该遭遇的烦恼和忧愁更多更多，幸运的红腰带肯定替我"姐"开了不少啊！二十五岁那一年，我离开兵团上大学去了……

我曾在自己的一个本命年里，系过一条独一无二的红腰带。在我人生的这第四个本命年，妻的一位女同事，一位我没见过面的"姐"送给我的红腰带，使我忆起了几乎被彻底忘却的一桩往事。

不知当年那一条补着二十几块补丁的红腰带，是否由一位姐，又送给了某一个男人？是否又多了二十几块补丁？也许，它早就破旧得没法儿再补了，被扔掉了吧？

但我却宁肯相信，它仍系在某一个男人腰间。

想想吧，一条红布，一条补了许多许多补丁的红布，一条已很难再看到最初的红颜色的红布，由一些又一些在年龄上是“姐”的女人，虔诚地送给一些又一些男人，祈祝他们在自己的本命年里“姐”开一些烦恼忧愁，这份儿愿望有多么的美好啊！它某几年在亲人和亲爱者间转送着，某几年又超出了亲情和友情的范围，被转送到了一些素无交往的男人手里——如当年那位也当过小学教师的上海女知青在水房将它送给我一样。而再过几年，它可能又在亲人和亲爱者间转送着了。它的轮回，毫无功利色彩，仅只为了将“姐”开这一好意，一年年地延续下去。除了这一目的，再无任何别的目的了……

让“姐”开烦恼忧愁和“弟”给好运的善良祈祝，在更多男人和女人的本命年里带来温馨吧！

阿门……

故人往事

一九七九年春，全国第四次高等教育会议在北京西苑召开，各新闻和文艺单位派代表列席参加。我作为北影厂代表，参加了华南大组学习讨论。会议最初几天，讨论内容是肃清“四人帮”极左教育路线的流毒，发言踊跃热烈。

“工农兵学员”——这新中国成立三十年来“高教”大树上结下的“异果”，令每一位代表当时都难以为它说半句好话。而每一位发言者，无论从什么角度什么命题开始，最终都归结到对“工农兵学员”的评价方面。不，似乎不存在评价问题——它处于被缺席审判的地位。如果当时有另外一个“工农兵学员”在场的话，他或她也许会逃走，再没有勇气进入会议室。

我有意在每次开会前先于别人进入会议室，坐在更准确说是隐蔽在一排长沙发后不易被人发现的角落。我负有向编辑传达会议情况和信息的使命。我必须记录代表们的发言。

我是多么后悔接受了这样一个使命啊！然而我没有充分的理由，要求领导改换他人参加会议。第三天下午，还有半个钟点散会，讨论气氛沉闷了。几乎每个人都至少发过两次言了。主持讨论者时间观念很强，不想提前宣布散会，也不想让半个钟点在沉闷中流逝。他用目光扫视着大家，企图鼓励什么人做短暂发言。

他的目光扫视到了我。我偏偏在那时偶然抬起了头。于是我品质中卑俗的部分，一瞬间笼罩了我的心灵，促使我扮演了一次可鄙而可怜的角色。

“你怎么不发言啊？也谈谈嘛！”主持者目光牢牢盯住我。多数人仿佛此刻才注意到我的存在，纷纷向我投来猜测的目光。大家的目光使我很尴尬。坐在我前面的人，都转过身瞧着我，分明都没想到沙发后隐藏着我这么个人。我讷讷地说：“我……我不是工农兵学员……”几乎是不由自主地这么说了。这是我以列席代表身份参加讨论三天来说的第一句话，当着许多白发苍苍的老教授们说的第一句话，当着华南大组全体代表说的第一句话。

谎话，是语言的恶性裂变现象。说一颗纽扣是钻石，并欲使众人相信，就得编出一个专门经营此种“钻石”的珠宝店的牌号，进一步编出珠宝店所在的街道和老板或经理的姓名……

我说，我是电影学院导演系“文革”前的毕业生。我说，某某著名电影导演曾是我的老师。我说，如果不发生“十年动乱”，我也许拍出至少两部影片了……为了使代表们不怀疑，我给自己长了五岁。散会后，许多人对我点头微笑。“文革”前的毕业生，无论毕业于文、理、工学院，还是毕业于什么艺术院校，代表们都认为是他们的学生。

会议主持者在会议室门外等我，和我并肩走入餐厅，边走边说，希望我明天谈谈“四人帮”所推行的极左教育路线，对艺术院校教育方针教育方向的干扰破坏。

我只好“极其谦虚”地拒绝。

我不是一个没有说过谎的人，但是跨出复旦校门那一天，我在日记上曾写下过这样的话：“这些年，我认清了那么多虚伪的人，见过那么多虚伪的事，听过那么多谎话，自己也违心地说过那么多谎话，从此我要做一个诚实的人……”

我这“要做一个诚实的人”的人，在许多高等教育者面前，撒了一次弥天大谎！

那的确是我离开大学后第一次说谎，不，第二次。第一次是我打了“潘冬子”一记耳光而说是“跟他闹着玩”。我第二次说谎，像一个谎话连篇的人一样，说得那么逼真，那么周正。

我内心感到羞耻到了极点。一个毕业于名牌大学的青年，仅仅由于在某个不正常的时期迈入了这所大学的校门，便如同私生子隐瞒自己的身世，在许多高等教育者面前隐瞒自己的“庐山真面目”，真是历史的悲哀！

就个人心理来说，这是十分可鄙的。

但这绝非我一个人的心理。这种心理，像不可见的溃疡，在我心中，也在不少“工农兵学员”心中繁殖着有害的菌类。对于国家的高等教育，又多么可悲！宛如太上老君的“炼丹炉”中倒出了“山楂仁”。我的谎话，当晚就被戳穿——我们编辑部的某位领导来西苑看望在华南组的一位老同事……我不晓得。

第二天，我迟到了十分钟。在二楼楼口，被一位老者拦住。他对我说：“你先不要进会议室。”

我迷惑地望着他。

他又说："大家已经知道了。"

我问："知道什么了？"

"知道你是一个'工农兵学员'。"

他那深沉的目光，严肃地注视着我。

我呆住了。

他低声说："大家很气愤，正议论你。你为什么要扯谎呢？为什么要欺骗大家呢？"

他摇摇头，声音更低地说："这多不好，这真不好！有的代表要求向大会简报组汇报这件事啊！……"

不但不好，而且很糟！在全国"高教"会上，在粉碎"四人帮"后，谎言和虚伪正开始从崇高的教育法典中被肃清，一位列席代表，一位"工农兵学员"，却大言不惭地自称是"文革"前电影学院导演系的毕业生，这的确是太令人生气了。

我垂下了头，脸红得发烧。

我羞惭地对那老者说："您替我讲几句好话吧，千万别使我的名字上简报啊！"

他说："我已经这样做了。"

他的目光那么平和。平和的目光，在某些时刻，也是最使人难以承受的目光。我觉得他那目光是穿透到我心里了。

他说："我们到楼外走走好吗？"

我默默地点了一下头。

我们在楼外走着，他向我讲了许多应该怎样看待自己是一个"工农兵学员"的道理。当他陪着我走回到会议室门前，我还是缺乏足够的勇气进入。

他说："世上没有人敢声明自己从未说过谎，进去吧！"挽着我的手臂，和我一齐进入了会议室。那一天我才知道，这位令我感激不尽的老者，原来是老教育家吴伯箫。

吴老是我到北京后，第一个引起我发自内心的无比尊敬的人。"高教"会结束后，他给我留下了他家的地址，表示欢迎我到家中去玩。那时他家住沙滩，我到他家去过两次。第一次他赠我散文集《北极星》，第二次他赠我散文集《布衣集》，并赠一枚石印，上刻"布衣可钦"四字，他亲自替我刻的。两次去，都逢他正伏案写作。一见我，他立刻放下笔，沏茶，找烟，面对面与我相坐，与我交谈。他是那么平易近人，简直使我怀疑他是个丝毫没有脾气的人。他脸上的表情总是那么安详。与我说话时，眼睛注视着我。听我说话时，微微向我俯着身子。他听力不佳。我最难忘的是他那种目光，那么坦诚，那么亲切，那么真挚。注视着我时，我便觉心中的烦愁减少了许多许多。

那时他家的居住条件很不好，因附近正在施工，院落已不存在。他家仅有两间厢房，每次接待我的那一间，有十三四平方米，中间以木条为骨，裱着大白纸，作为间壁。里边一半可能是他的卧室，外边一半是他的写作间，一张桌子就占去了外间的大部分面积。我们两人落座，第三个人就几乎无处安身了。房檐下，生着小煤炉，两次去他家都见房檐下炊烟袅袅，地上贴着几排新做的煤饼子。

我问他为什么居住条件这样差。他笑笑，说："这不是蛮好吗？有睡觉的地方，有写作的地方，可以了。"告辞时，他都一直将我送到公共汽车站。我向他倾诉了许多做人和处世的烦恼，他循循善诱地开导了我许多做人和处世的道理。

他对我说过：多一分真诚，多一个朋友。少一分真诚，少一个朋友。没有朋友的人，是真正的赤贫者。谁想寻找到完全没有缺点的朋友，那么他都不可能成为他自己的朋友。一个人有许多长处，却不正直，这样的人不能引为朋友。一个人有许多缺点，但是正直，这样的人应该与之交往。正直，是一个人最重要的品质。你的朋友们是你的镜子，你交往什么样的朋友，能衡量出你自己的品质来。我们常常是通过与朋友的品质的对比，认清了我们自己实际上是一个怎样的人……

我们北影的一位同志，从前曾在吴老领导下工作过，他敬称吴老为自己的“老师”——他已经是四十五六岁了。我常于晚上看见他在厂院内散步，却从未说过话。

有次我们又相遇，他主动说：“吴老要我代问你好。”

我们便交谈起来，主要话题是谈的吴老。

他告诉我这样一件事：当年他与六个年轻人在吴老直接领导之下工作，某天其中一人丢了二百元钱，向吴老汇报了。吴老嘱他不要声张，说一定能找到。过了几天，六个年轻人都在场的情况下，吴老将二百元钱交给失主，说：“你的钱找到了，不知是哪位同志找到后放到我抽屉里了。”失主自然非常高兴。当天，又有二百元钱出现在吴老抽屉里。原来他交给失主的那二百元钱，是他自己的。但对这件事，他再也没追究过。六个年轻人先后离开他时，都恋恋不舍，有的甚至哭了……

“因为吴老当时很信任我，只对我一个人讲过这件事。”我那位北影的同事说，“吴老认为，究竟谁偷了那二百元钱，并不重要。重要的是，六个年轻人中有一个犯了一次错误，但自己纠正了，这使人感到高兴啊！”

听了这件事以后，我心中对吴老愈加尊敬，他使我联想到了苏联教育家马卡连柯。

对年轻人宽宏若此，真不愧老教育家风范。

因吴老身体不好，业余时间又在写作，我怕去看望他的次数多了，反而打扰他，再未去过他家。

我最初几篇稚嫩的小说发表，将刊物寄给他。

他回信大大鼓励了我一番，而且称我“晓声文弟”，希望我也对他的作品提出艺术意见，使我愧怍之极。

信是用毛笔写的，至今我仍保存。

半年后，我出差在外地，偶从报纸上看到吴老去世的消息，悲痛万分，将自己关在招待所房间里，失声恸哭一场……

复旦与我

复旦

我曾写过一篇散文，题目是“感激”。在这一篇散文中，我以感激之心讲到了当年复旦中文系的老师们对我的关爱。在当年特殊的时代背景下，对我，他们的关爱还体现为一种不言而喻的、真情系之的保护，非是时下之人言老师们对学生们的关爱所能包含的。在当年，那一份具有保护性质的关爱，铭记在一名学生内心里，任什么时候回忆起来都是凝重的。

我还讲到了另一位并非中文系的老师。

那么他是复旦哪一个系的老师呢？

事隔三十余年，我却怎么也不能确切地回忆起来了。

我所记住的只是一九七四年，他受复旦大学之命在黑龙江招生，中文系创作专业的两个名额也在他的工作范围以内。据说那一年复旦大学总共从黑龙江生产建设兵团招收了二十几名知识青年，他肩负着对复旦大学五六个专业的责任。而创作专业的两个名额中的一个，万分幸运地落在了我的头上。

事情大致是这样的——为了替中文系创作专业招到一名将来或能从事文学创作的学生，他在兵团总部翻阅了所有知青文学创作作品集。当年，兵团总部每隔两年举办一次文学创作学习班，创作成果编为诗歌、散文、小说、报告文学、通讯报道与时政评论六类集子。一九七四年，兵团已经培养起了一支不止百人的知青文学创作队伍，分散在各师、各团，直至各基层连队。我是他们中的一个，在基层连队抬木头。兵团总部编辑的六类集子中，仅小说集中收录过我的一篇短篇《向导》。那是我唯一被编入集子中的一篇，它曾发表在《团战士报》上。

《向导》的内容是这样的：一个班的知青在一名老职工的率领下进山伐木。那老职工在知青们看来，性格孤倔而专断——这一片林子不许伐，那一片林子也坚决不许伐，总之已经成材而又很容易伐倒的树，一棵也不许伐。于是在这名老“向导”的率领之下，知青离连队越来越远，直至天黑，才勉强凑够了一爬犁伐木，都是歪歪扭扭、拉回连队也难以劈为烧材的那一类。而且，他为了保护一名知青的生命，自己还被倒树砸伤了。即使他在危险关头那么舍己为人，知青们的内心里却没对他起什么敬意，反而认为那是他自食恶果。伐木拉到了连队，指责纷起。许多人都质问：“这是拉回了一爬犁什么木头？劈起来多不容易？你怎么当的向导？”而他却用手一指让众人看：远处的山林，已被伐得东秃一片，西秃一片。他说：“这才几年工夫？别只图今天我们省事儿，给后人留下的却是一座座秃山！那要被后代子孙骂的……”

这样的一篇短篇小说在当年是比较特别的，主题的“环保”思想鲜明。而当年中国人的词典里根本没有“环保”一词，我自己的头脑里也没有，只不过所见之滥伐现象，使我这一名知青不由得心疼罢了。

而这一篇仅三千字的短篇小说，却引起了复旦大学招生老师的共鸣，于是他要见一见名叫“梁晓声”的知识青年。于是他乘了十二个小时的列车从佳木斯到哈尔滨，再转乘八九个小时的列车从哈尔滨到北安。那是那一条铁路的终端，往前已无铁路了，改乘十来个小时的长途汽车到黑河，第二天上午从黑河到了我所在的团。如此这般的路途最快也需要三天。

而第四天的上午，知识青年梁晓声正在连队抬大木，团部通知他，招待所里有位客人想见他。

当我听说对方是复旦大学的老师，内心一点儿也没有惊喜的非分之想，认为那只不过是招生工作中的一个过场，按今天的说法是作秀。而且，说来惭愧，当年的我这名哈尔滨知青，竟没听说过复旦这所著名的大学。一名北方青年，当年对南方有一所什么样的大学，一向不会发生兴趣的。但有人和我谈文学，我很高兴。

我们竟谈了近一个半小时。

我对“文革”中的“文艺”现象“大放厥词”，倍觉宣泄。

他从自己的包里取出一本当年的“革命文学”的“样板书”《牛田洋》，问我看过没有？有什么读后感？

我竟说：“那样的书翻一分钟就应该放下，不是任何意义上的文学作品！”

而那本书中，整页整页地用黑体字印了几十段“最高指示”。

如果他头脑中有着当年流行的“左”，则我后来根本不可能成为复旦的学子。倘他行前再向团里留下对我的坏印象，比如“梁晓声这一名知青的思想大有问题”，那么我其后的日子更加不好过了。

我记得清清楚楚，我们分手时，他说的是“你跟我说过的那些话，不要再跟别人说了，那将会对你不利”。这是关爱，在当年，也是保护性的。后来我知道，他确实去见了团里的领导，当面表达了这么一种态度——如果复旦大学决定招收该名知青，那么名额不可以被替换。没有这位老师的认真，当年我根本不可能成为复旦学子。我入学几年后，就因为转氨酶超标，被隔离在卫生所的二楼。他曾站在卫生所平台下仰视着我，安慰了我半个多小时。三个月后我转到虹桥医院，他又到卫生所去送我……

至今想来，点点滴滴，倍觉温馨。进而想到从前的大学生（他似乎是一九六二年留校的）与现在的大学生是那么不同，虽然我已不认得他是哪一系哪一专业的老师了，但却肯定地知道他不是中文系的老师。而当年在我们团的招待所里，他这位并非中文系的老师，和我谈到了古今中外那么多作家和作品，这是耐人寻味的。

大千世界，芸芸众生。人皆一命，是谓生日。但有人是幸运的，能获二次诞辰。大学者，脱胎换骨之界也。“母校”说法，其意深焉。复旦乃百年名校，高深学府，所育桃李，遍美人间，是复旦当年认认真真地给予了我一种人生的幸运。它所派出的招生老师身上所体现出的认真，我认为，当是复旦之传统精神的一方面吧！

我感激，亦心向复旦之精神也。

五角场

上海使我产生之联想，自然首先是复旦。而由复旦，于是联想到五角场。

联想吗？竟也不是的。事实上，在我记忆的絮中，复旦和五角场是一种整体的印象。我明知那是不对的——复旦是复旦，五角场是五角场，它们并非不可分割的两部分。然而，男人的记忆是很奇怪的，有时会将爱过的女孩和她家所在的一条街也组合成一种整体……

一九七四年至一九七七年，我是复旦中文系学生时，五角场乃我常去的地方。到现在我也不明白，五角场何以叫五角场。当年的五角场，是城乡接合部。路况不怎么好，马路和人行道之间的道沿破损不堪，某一段人行道根本不见了道沿。路面处处坑洼，柏油层下沙土路。雨天积水，若刮风则扬尘。

但我对五角场却保留着和对复旦一样的绵长情愫。那儿有一家杂货店，无门无窗。早上卸下栅板便是开门，晚八点以后，将栅板一块块安装起来，等于关门。店旁有一家小小的理发铺。我并不常去买东西，当年我每月的生活费基本上便是十七元五角的助学金，仅够吃饭而已，舍不得乱花钱的，哪怕是一角钱，但头发每月总是要理一次的。那儿的路边，经常坐着期待活计的修鞋师傅和守着一台旧缝纫机补衣服的乡下女人。我的一双猪皮皮鞋三年里多次在五角场轧过裂口换过后跟，几件衬衣、外衣和两条裤子，也都在五角场缝补过。

更多的时候，是在傍晚和同学散步才去往五角场的。出了复旦校门，若往另一边走，一片稻田，夏季多蚊。而五角场方向，较热闹，人气聚拢，我们都习惯于往那边走。杂货店是人行道那一侧的尽头，拐过去，兜一个大圈，便可再贴着复旦的外墙绕回到校门。往回绕的途中，实际上是顺着一条小河边走。当年那河水绝不清澈，却终究是一条河，会使散步增添些许野趣。起码，自我安慰地想的话，是可以那么认为一下的。

河之某段，有小石桥。石桥那边，离河十余米远，有几幢低矮又老旧的房子，然皆周正，虽矮虽旧，客观地说，是不破的。每幢房子门前，都用水泥抹出了十几平方米的地方，或光滑或粗糙，在雨季里，门前毕竟不至于泥泞了。这人家的水泥地前生着老树，那人家的水泥地前栽着花。我喜欢花，凡有花的人家，便断定他们是眷爱生活的，哪怕他们的家安在蛮荒之地。倒似乎，越是那样的人家，我越会被他们的生活态度所感动。

某次散步，我和二三同学意犹未尽，踏过小石桥，有几个女人在某户人家的门前坐着聊天，我忍不住上前，搭讪着问东问西。于是知道，他们的丈夫，都是上海某工厂的工人，当年叫作“长期临时工”的那一类工人。因为没有市区户口，所以临时。因为他们颇肯于干一些很脏很累没有市里人愿意干但又必须有人干的活，所以有幸“长期”。而那几个女人，皆菜农。她们挺乐于回答我的话，脸上呈现着对生活相当知足的表情。

往回走时，我问同学：“你们也看出了她们对生活的知足吗？”

皆回：“当然。”

又问：“何以知足若彼？”

一位上海同学回答：“她们的丈夫是挣工资的农民，此知足之一。五角场毕竟也划在市区里，她们的家离市区这么近，市声旦夕可闻，市街片刻可至，此知足之二……”

我不禁转身指着说：“倘晓声安家那里，心欲亦大足矣！”

同学们诧问：“对生活的要求就这么低吗？”

我指着河说：“愿此水稍清。”

“还有呢？”

“愿有面容姣好女子相伴。”

“哪一个挣钱养家糊口呢？”

“就你这单薄身体，能长期干得了那很脏很累的活吗？”

“这家伙想的是，自己终日在家里写作，让那面容姣好的妻子去当‘长期临时工’！岂不苦了那面容姣好的人儿？”

于是遭到每一位同学的批判和挖苦。当夜，我梦中吟诗——“罗汉松掩花里路，美人蕉映雨中棂……”

此后，竟生出一种想法——要写一篇小说，反映户口问题对中国人命运的左右。毕业后，写成，便是发表在一九八一年某期《雨花》杂志的《西郊一条街》。当年《雨花》很厚爱它，登在头条，配了很好的插图。一九八二年全国短篇小说评选前，《雨花》也推荐了它。当年有评委告诉我，那一年若没有我的《这是一片神奇的土地》，《西郊一条街》当榜上有名。去年，北京某影视单位拍的一部电视剧《城里城外》，便是他们根据《西郊一条街》改编的。而据说，现在的五角场，早已是上海的一片繁华新区了……

阳春面

早年的五角场杂货店旁，还有一家小饭馆。确切地说，是一家小面馆，卖面条、馄饨、包子。

顾客用餐之地，不足四十平方米。“馆”这个字，据说起源于南方。又据说，北方也用，是从南方学来的——如照相馆、武馆。但于吃、住两方面而言，似乎北方反而用得比南方更多些。在早年的北方，什么饭馆什么旅馆这样的招牌比比皆是，意味着比店是小一些，比“铺”却还是大一些的所在。我谓其“饭馆”，是按北方人的习惯说法。在记忆中，它的牌匾上似乎写的是“五角场面食店”。那里九点钟以前也卖豆浆和油条，然复旦的学子们，大约很少有谁九点钟以前踏入过它的门槛。因为有门有窗，它反而不如杂货店里敞亮。栅板一下，那是多么豁然！而它的门没玻璃。故门一关，只有半堵墙上的两扇窗还能透入些阳光，也只不过接近中午的时候。两点以后，店里便又幽暗下来。是以，它的门经常敞开……

它的服务对象显然是底层大众。可当年的底层大众，几乎每一分钱都算计着花。但凡能赶回家去吃饭，便不太肯将钱花在饭店里，不管那店所挣的利润其实有多么薄。店里一向冷冷清清。

我进去过两次。第一次，吃了两碗面；第二次，吃了一碗面。

第一次是因为我一大早空腹赶往第二军医大学的医院去验血。按要求，前一天晚上吃得少又清淡。没耐心等公共汽车，便往回走。至五角场，简直可以说饥肠辘辘了，然而才十点来钟。回到学校，仍要挨过一个多小时方能吃上顿饭，身不由己地进入了店里。我是那时候出现在店里的唯一顾客。

服务员是一位我应该叫大嫂的女子，她很诧异于我的出现。我言明原因，她说也只能为我做一碗“阳春面”。

我说就来一碗“阳春面”。

她说有两种价格的——一种八分一碗，只放雪菜。另一种一角二分一碗，加肉末儿。

我毫不犹豫地说就来八分一碗的吧。依我想来，仅因一点儿肉末的有无，多花半碗面的钱，太奢侈。

她又说，雪菜也有两种。一种是熟雪菜，以叶为主；一种是盐拌的生雪菜，以茎为主。前者有腌制的滋味，后者脆口，问我喜欢吃哪种。

我口重，要了前者。我并没坐下，而是站在灶间的窗口旁，看着她为我做一碗“阳春面”。

我成了复旦学子以后，才知道上海人将一种面条叫“阳春面”。为什么叫“阳春面”，至今也不清楚，却欣赏那一种叫法。正如我并不嗜酒，却欣赏某些酒名。

最欣赏的酒名是“竹叶青”，尽管它算不上高级的酒。“阳春面”和“竹叶青”一样不乏诗意呢。一比，我们北方人爱吃的炸酱面，岂不太过直白了？

那我该叫大嫂的女子，片刻为我煮熟一碗面，再在另一锅清水里焯一遍。这样，捞在碗里的面条看去格外诱人。另一锅的清水，也是专为我那一碗面烧开的。之后，才往碗里兑了汤，加了雪菜。那汤，也很清。

当年，面粉在全国的价格几乎一致。一斤普通面粉一角八分钱，一斤精白面粉两角四分钱，一斤上好挂面也不过四角几分钱。而一碗“阳春面”，只一两，却八分。而八分钱，在上海的早市上，当年能买两斤鸡毛菜……

也许我记得不准确，那毕竟是一个不少人辛辛苦苦上一个月的班才挣二十几元的年代，许多底层的人们往往舍不得花八分钱进入一个不起眼的小面食店吃一碗“阳春面”。我是一名拮据学子，花起钱来，也不得不分分盘算。

在她为我煮面时，我问了她几句，她告诉我，她每月工资二十四元，她每天自己带糙米饭和下饭菜。她如果吃店里的一碗面条，也是要付钱的。倘偷偷摸摸，将被视为和贪污行为一样可耻。

转眼间我已将面条吃得精光，汤也喝得精光，连道好吃。她伏在窗口，看着我笑笑，竟说：“是吗？我在店里工作几年了，还没吃过一碗店里的面。”我也不禁注目着她，腹空依旧，脱口说出一句话是：“再来一碗……”她的身影就从窗口消失了。我立刻又说：“不了，太给你添麻烦。”“不麻烦，一会儿就好。”——窗口里传出她温软的话语。

那第二碗面，我吃得从容了些，越发觉出面条的筋道和汤味的鲜淳。我那么说，她就又笑，说那汤，只不过是少许的鸡汤加入大量的水，再放几只海蛤煮煮……

回到复旦我没吃午饭，尽管还是吃得下的。一顿午饭竟花两份钱，自忖未免大手大脚。

我的大学生活是寒酸的。

毕业前，我最后一次去五角场，又在那面食店吃了一碗“阳春面”，已不复由于饿，而是特意与上海作别。那时我已知晓，五角场当年其实是一个镇，名分上隶属于上海罢了。那碗“阳春面”，便吃出依依不舍来。毕竟，五角场是我在复旦时最常去的地方。那汤，也觉其更鲜淳了。

那大嫂居然认出了我。她说，她长了四元工资，每月挣二十八元了。她脸上那知足的笑，给我留下极深极深的记忆……面食店的大嫂也罢，那几位丈夫在城里做“长期临时工”的农家女子也罢，我从她们身上，看到了上海底层人的一种“任凭的本分”。即无论时代这样或若那样，他们和她们，都肯定能淡定地守望着自己的生活。那是一种生活态度，也是某种民间哲学。

也许，以今人的眼看来，会曰之为“愚”。而我，内心里却保持着长久的敬意。依我想来，民间之原则有无，怎样，亦决定，甚而更决定一个国家的性情。是的，我认为国家也是有性情的……

十六路公共汽车咏叹调

一九七七年我从上海复旦大学中文系分配到北京电影制片厂，于是和十六路公共汽车结下了不解之缘。

同今天一样，它的起点和终点，自然都是在北太平庄。

当年北太平庄一带，远没有今天这么热闹。没有远望楼饭店，没有专利局大厦，没有它旁边的电影学院新址，没有电影学院旁边的中国儿童电影制片厂。北影门前的马路，也没有今天这么宽，而且主行线两侧路面是沙土的。春季秋季，大风一起，沙土飞扬，天地玄黄。当年春秋两季里，骑自行车从北影门前驶过的女士，脸面常罩纱巾。望着她们，你竟会觉得自己仿佛是在神秘而落后的异国。左方，自然没有什么立交桥。右方，不消说也没有。不进市区，北太平庄一带，一点儿也不能使你感到，生活在北京与生活在一个荒蛮的小县城究竟有什么区别。北太平庄的“庄”字，最意味着它当年的情景。在我的印象中，伫立北影门前，放眼向右眺去，燕山起伏的脉脊依稀可见。虽身在京都一隅，却能使人不禁联想到鲍照的诗句“疾风冲塞起，沙砾自飞扬”，或联想到于鹄的诗“碛冷唯逢雁，天春不见花”。

我在复旦大学读书时的外国留学生朋友一次到北影访我，见面时他浑身灰土，仿佛刚从水泥搬运工地赶来。他是个大胡子，灰土似乎使他的每一根胡子都变粗了，我给他换了两盆水他才洗尽他的脸和胡子。我问他对北京有何印象，他委婉地回答：“我已经去过长安街和东单西单了……”又问：“如果尚未去呢？”他坦言道：“那就太像一个大农村了！而且是你们黑龙江那‘疙瘩’的。”我曾不免地有些后悔过——毕业时没听从老师的劝说留在上海，义无反顾地就到北京来了是否很理智？如果不是后来我爱上了北影的一位姑娘的话……

她是道具车间的服装员。

当年主动而又热情地关心我之婚姻大事的“老师”们“阿姨”们真不少。我想我活到二十八岁还没自己做主过什么事，我总得试试自己替自己做主的能力，于是我就爱上了她。

某一天晚上，她终于接受了我的虔诚，来晤我。月光下的男人还不及月光下的女人一半动人。我当时觉得我是一个丑陋又真挚的朝圣者，而她是一位女神。在那天晚上的月光下，我觉得她那么的动人。她并非通常所说的什么“佳丽”，我也并不专爱漂亮的脸庞。“动人”是另一个层面的对女性的修饰词，也许还更是男人的主观心态的写照。

可是，她很歉意地低垂着头轻声说：“可是……我已经有朋友了……”

我注视着她，一时呆住了。不知过了多久，我也轻声说：“对不起……”之后我便再也找不到适当的话说。

不知又过了多久，我抬起手腕看了看表。

她说："我们走吧？……"

我说："是啊，你走吧……"

当时二十八岁的我只想哭。二十八岁的我这一个男人，当年不啻是一个大男孩儿，书生气十足且单纯得要命。在恋爱方面几乎还是白纸一张，没有预习过，也没有谁告诉过我"谁按规定去爱，谁就得不到爱"或"爱情和战争都需要有必胜的信心"之类格言。我在北大荒的初恋没给我留下什么经验，留下的不过是长久氤氲内心的忧伤……

我想她是领悟了我的暗示才离去的，望着她的背影我忽然意识到自己太迂腐。我想追上她，我想我当时是在发呆之后又寻找到了一些可对她说的话的，并且我确实已在快步赶上她，然而迟了——返程的十六路公共汽车在马路对面停了片刻又开走。

它开走后我已不见她的身影。

当年十六路公共汽车站的行车路线是从北太平庄到动物园，往返途中在北影门前都有站。她是乘往北太平庄方向，我骑上自行车追至北太平庄，追至二十二路的起点站。末班车刚刚开走，站上已无一人。

几天后她随摄制组出外拍景，半年内我再没见过她。又过了半年，我还没见过她——据说她接着又上了一部戏。如今北影周围已经楼群林立了，如今北影门前的马路又宽又直，路上已架起了几座立交桥。如今一条人工环城河漾澜而来漾澜而去，河上的小桥两岸的草地园圃，为京都的这一带增添了许多风景。春季里路两旁的桃花和秋季里的菊花，开得烂漫一片。到我家做过客的"老外"们，再也没谁说北京像一个大农村了，倒是几乎都说过——“你住的这一带环境真美啊！”

当然，如今十六路的行车路线也改变了，往返途中不再各站交错了，立交桥使它的运行路线更通畅自由了。有时我乘十六路公共汽车，不禁想：如果当年的那个夜晚是今天的某一个夜晚，我怎么竟会追不上她？

妻早已了解了我的十六路公共汽车情结，每每地调侃我：“当年的十六路是你‘心口永远的痛’吧？”如今，她已不再变化发型。奥斯汀说过：“假如哪个女人不再变化发式，证明她已迈入了人生的安稳阶段。”我衷心祝福她。如今妻也不再变化发型了，任劳任怨地做着贤妻良母。我，也不经常刮胡子。男人不经常刮胡子证明些什么，似乎还没有哪一位名人说过一句格言，而我要说的是——在城市里恋爱的青年男女，掌握附近公共汽车运行时刻的规律，是不无必要的啊！

困境赐给我的

我曾不止一次被请到大学去，对大学生谈“人生”，仿佛我是一位相当有资格大谈此命题的作家。而我总是一再地推托，声明我的人生至今为止，实在是平淡得很，平常得很，既无浪漫，也无苦难，更无任何传奇色彩。对方却往往会说，你经历过“三年自然灾害”时期，经历过“文革”，经历过“上山下乡”，怎可说没什么谈的呢？其实这是几乎整整一代人的大致相同的人生经历，个体的我摆放在总体中看，真是丝毫也不足为奇的。

比如我小的时候家里很穷，从懂事起至下乡为止，没穿过几次新衣服。小学六年，年年是“免费生”。初中三年，每个学期都享受二级“助学金”。初三了，自尊心很强了，却常从收破烂的邻居的破烂筐里翻找鞋穿，哪怕颜色不同，样式不同，都是穿了去上学……有时我自己回想起来，以为便是“逆境”了。后来我推翻了自己的以为，因在当年，我周围皆是一片贫困。

倘说贫困毫无疑问是一种人生“逆境”，那么我倒可以大言不惭地说，我对贫困，自小便有一种积极主动的、努力使自己和家人在贫困之中也尽量生活得好一点儿的本能。我小学五六年级就开始粉刷房屋了，初中的我，已不但是一个出色的粉刷工，而且是一个很棒的泥瓦匠了，炉子、火墙、火炕，都是我率领着弟弟们每年拆了砌，砌了拆，越砌越好。没有砖，就推着小车到建筑工地去捡碎砖。我家住的是在“大跃进”年代由临时女工们几天内突击盖起来的房子，幸亏有我当年从里到外一年多次的维修，才一年年仍可住下去。我家几乎每年粉刷一次，甚至两次，而且要喷出花儿或图案。你知道一种水纹式的墙围图案如何产生的吗？说来简单——将石灰浆兑好了颜色，再将一条抹布拧成麻花状，蘸了灰浆往墙上依序列滚动，那是我当年的发明。每次双手被灰浆所烧，几个月后方能蜕尽皮。在哈尔滨那一条当年极脏的小街上，在我们那个大杂院里，我家门上，却常贴着“卫生红旗”。每年春节，同院儿的大人孩子，都羡慕我家屋子粉刷得那么白，有那么不可思议的图案。那不是欢乐是什么呢？不是幸福感又是什么呢？

下乡后，我从未产生跑回城里的念头。跑回城里又怎样呢？没工作，让父母和弟弟妹妹也替自己发愁吗？自从我当上了小学教师，我曾想，如果我将来落户了，我家的小泥房是盖在村东头还是村西头呢？哪一个女知青愿意爱我这个全没了返城门路，打算落户于北大荒的穷家小子呢？如果连不漂亮的女知青竟也没有肯做我妻子的，那么就让我去追求一个当地人的女儿吧！

面对所谓命运，我从少年时起，就是一个极冷静的现实主义者。我对人生的憧憬，目标从来定得很近很近，很低很低，很现实很现实。想象有时也是爱想象的，但那也只不过是一种早期的精神上的“创作活动”，一扭头就会面对现实，做好自己在现实中首先最该做好的事，哪怕是在别人看来最乏味最不值得认真对待的事。

后来我调到了团宣传股，这是我人生中的第一次“上升阶段”。再后来我又被从团机关“精简”了，实际上是一种惩罚，因为我对某些团首长缺乏敬意，还因为我同情一个在看病期间跑回城市探家的知青，于是我被贬到木材加工厂抬大木。

那是一次从“上升阶段”的直接“沦落”，连原先的小学教师都当不成了，于是似乎真的体会到了身处“逆境”的滋味儿，于是也就只有咬紧牙关忍。如今想来，那似乎也不能算是“逆境”，因为在我之前，许多男知青，已然在木材厂抬着木头了，抬了好几年了。别的知青抬得，我为什么抬不得？为什么我抬了，就一定是“逆境”呢？

后来我被推荐上了大学，我的人生不但又“上升”了，而且“飞跃”了，成了几十万知青中的幸运者。

在大学我因议论“四人帮”，成为上了“另册”的学生，又因一张汇单，遭几名同学合谋陷害，几乎被视为变相的贼。那些日子，当然也是谈不上“逆境”的，只不过不顺遂罢了。而我的态度是该硬就硬，毕不了业就毕不了业，回北大荒就回北大荒。一次，因我说了一句对“四人帮”不敬的话，一名同学指着我道：“你再重复一遍！”我就当众又重复了一遍，并将从兵团带去的一柄匕首往桌上一插，大声说：“你他妈的可以去汇报！不会判我死刑吧？只要我活着，我出狱那一天，你的不安定的日子就来了！无论你分配到哪儿，我都会去找到你，杀了你！看清楚了，就用这把匕首！”

那事儿竟无人敢去汇报。

毕业时我的鉴定中多了一条别的同学所没有的——“与‘四人帮’作过斗争”。想想怪可笑的，也不过就是一名青年学生对“四人帮”的倒行逆施说了些激愤的话罢了。但当年我更主要的策略是逃，一有机会，就离开学校，暂时摆脱心理上的压迫，甚至在一个上海知青的姨妈家，在上海郊区一个叫朱家角的小镇上，一住就是几个星期……

这些都是一个幸运者当年的不顺遂，尽管也埋伏着人生的凶险，但都非大凶险，可以凭自己的策略对付的小凶险而已。

一名高干子弟，我的一名知青战友，曾将他当年的日记给我看，他下乡第二年就参军去了，在北戴河当后勤兵，喂猪。他的日记中，满是“逆境”中人如坠无边苦海的“磨难经”——而当年在别的同代人看来，成了一名光荣的解放军战士，又是何等幸运何等梦寐以求的事啊！鲁迅先生当年曾经说过家道中落之人更能体会世态炎凉的话。我以为，于所谓的“逆境”而言，也似乎只有某些曾万般顺遂、仿佛前程锦绣之人，一朝突然跌落在厄运中，于懵懂后所深深体会的感受，以及所调整的人生态度，才更是经验吧？好比公子一旦落难，便有了戏有了书。而一个诞生于穷乡僻壤的人，于贫困之中呱呱坠地，直至于贫困之中死去，在他临死之前问他关于“逆境”的体会及思想，他倒极可能困惑不知所答呢！

至于我，回顾过去，的确仅有些人生路上的小小不顺遂而已，实在是不敢妄谈“逆境”。而如今对于人生的态度，是比青少年时代更现实主义了。若我患病，就会想，许多人都患病的，凭什么我例外？若我生癌，也会想，不少杰出的人都不幸生了癌，凭什么上帝非呵护于我？若我惨遭车祸，会想，车祸几乎是每天发生的。总之我以后的生命，无论这样或那样了，都不再会认为自己是多么的不幸了。知道了许许多多别人命运的大跌宕，大苦难，大绝望，大抗争，我常想，若将不顺遂也当成“逆境”去谈，只怕是活得太矫情了呢！

第四辑

老水车旁的风景

清名

倘非子诚之缘故，我断不会识得徐阿婆的。

子诚是我学生，然细说嘛，也不过算是罢。有段时期，我在北京语言大学开“写作与欣赏”课，别的大学的学子，也有来听的，子诚便是其中的一个。他爱写散文，偶作诗，每请我看。而我，也每在课上点评之。由是，关系近好。

子诚的家，在西南某山区的茶村，小。他已于去年本科毕业，就职于某公司。今年清明后，他有几天假，约我去他的老家玩。我总听他说那里风光旖旎，经不住动员，成行。

斯时茶村，远近山廓，美仑多姿。树、竹、茶垅，浑然而不失层次，绿如滴翠。

翌日傍晚，我见到了徐阿婆。

那会儿茶农们都背着竹篓或拎着塑料袋子前往茶站交茶。大叶茶装在竹篓，一元一斤；芽茶装塑料袋里，二十元一斤。一路皆五六十岁男女，络绎不绝。七十岁以上长者约半数，年轻人的身影，委实不多。尽管勤劳地采茶，好手一年是可以挣下五六千元的，但年轻人还是更愿到大城市去打工。

子诚与一老妪驻足交谈。我见那老妪，一米六七八的个子，腰板挺直，满头白发，不矜而庄。

老妪离去，我问子诚她的岁数。

“八十三了。”

“八十三还采茶？！”

我不禁向那老妪背影望去，钦佩之。

子诚告诉我：解放前，老人家是出了名的美人儿。及嫁龄，镇上乃至县里的富户争娶，或为儿子，或欲纳妾，皆拒，嫁给了镇上一名小学教师。后来，丈夫因为成分问题，回村务农。然知识化了的男人，比不上普通农民那么能耐得住山村的寂寞生活，每年清明前，换长衫游走于各村“说春”。当年当地，农村人大抵文盲，连皇历也看不懂的。她丈夫有超强记忆，一部皇历倒背如流。“说春”就是按照皇历的记载，预告一些节气与所谓凶吉日的关系而已。但一般告诉，则不能算是“说春”。“说春人”之“说春”，基本上是以唱代说，不仅要记忆好，还要嗓子好。她的丈夫嗓子也好，还有另一本事，便是脱口成章。“说”得兴浓，别人随意指点什么，竟能说什么唱出一套套合辙押韵的掌故来，百难不倒，像是现今的“R&B 歌手”。于是，使人们开心之余，自己也获得一碗小米。在人们，那是享受了娱乐的回报。在他自己，是一种个人价值体现的满足。所谓与人乐乐，其乐无穷。不久农村开展“破除迷信”运动，原本皆大开心之事，遂成罪过。丈夫进了学习班，“说春人娘子”一急之下，将他们的家卖到了仅剩自己穿着的一身衣服的地步，买了两袋小米，用竹篓一袋一袋背着，挨家挨户一碗碗地还。乡亲们过意不去，都批评她未免太过认真。她却说——我丈夫是“学知人”，我是“学知人”的妻子。对我们，清名重要。若失清名，家便也没什么要紧了。理解我的，就请将小米收回了吧！

工作组组长了解到那一情况，愕然，继而肃然。对其丈夫谆谆教诲了几句，亲自送回家，并对当年的阿婆好言安抚。

我问：“现在她家状况如何？为什么还让八十三岁的老人家采茶卖茶呢？”

子诚说：“阿婆得子晚，六十几岁时，三十几岁的独生儿子病故了。媳妇改嫁，带着孙子远走高飞，早已断了音讯。从那以后，她一直一个人过活。七八年前，将名下分的一亩多茶地也退给了村里……”

“这么大岁数，又是孤独一人，连地都没了，可怎么活呢？”

“县里有政策，要求县镇两级领导班子的干部，每人认养一位农村的鳏寡高龄老人，保障后者的一般生活需求，同时两级政府给予一定补贴……”

我不禁感慨：“多好的举措……”

不料子诚却说：“办法是很好，多数干部也算做得比较有责任。但阿婆的命太不好，偏偏承担保障她生活责任的县里的一位副县长，明面是爱民的典范，背地里贪污受贿，酒色财赌黑，五毒俱全，原来不是个东西，三年前被判了重刑……”

我一时失语，良久才问出一句话是：“黑指什么？”

“就是黑恶势力呀。”

我又失语，不复再问什么，只默默听子诚说：“阿婆知道后，如同自己的名誉也受了玷污似的，一下子病倒了。病好后，开始替茶地多的人家采茶，一天采了多少斤，按当日茶价的五五分成。老人家眼力不济了，手指也没了准头，根本采不了芽茶，只能采大叶茶了，早出晚归，平均下来，一天也就只能挣到五六元钱。她一心想要用自己挣的钱，把那副县长助济她的钱给退还清了……”

“可……这……难道就没有人认为应该告诉老人家，她完全不必那样做吗？……”仿佛被割掉了舌的我，终于又能说出话来，而且说得激动。

“许多人都这么劝过的，可老人家她听不进去啊。”子诚的话，却说得异常平静。

不待我再说什么，问什么，子诚的一句话，使我顿时又失语了。

他说：“今年年初，老人家患了癌症。”

我，极愕。

“几乎村里所有人都知道了，她自己也知道了。不过，她装作自己一点儿也不知道的样子，就着自己腌的咸菜，每日喝三四碗糙米粥，仍然早出晚归地采大叶茶。有人说，那是因为她岁数大，脏器都老化了，所以不觉得多么疼了……他们的说法有道理吗？……”

“我……不太清楚……”

我的确不太清楚。

我心愀然。进而，怆然。

那天晚上，我要求子诚转告老人家，有人愿意替她“退还”尚未“还”清的一千二三百元钱。

子诚说：“转告也是白转告……”

我恼了，训道："明天，你必须那么对她说！"

第二天，还是傍晚时，我站在村道旁，望着子诚和老人家说话。才一两分钟后，二人的谈话便结束了。老人背着竹篓，尽量，不，是竭力挺直身板，从我眼前默默走过。

子诚也沮丧地走到了我跟前，嗫嚅道："我就料到根本没用的嘛……"

"我要听的是她的原话！"

"她说，谢了。还说，人的一生，好比流水。可以干，不可以浊……"

我不禁再次失语，竟至于羞愧了。以后几日的傍晚，我一再看见徐阿婆往返于卖茶路上，背着编补过的竹篓，竭力挺直单薄的身板。然而其步态，毕竟那么的蹒跚，使我联想到衰老又顽强的朝圣者，去向我不晓得的什么圣地。有一天傍晚下雨，她戴顶破了边沿的草帽，用塑料布罩住竹篓，却任雨淋湿衣服……

那曾经的草根族群中的美女，那八十三岁的，身患癌症的，竭力挺直身板的茶村老妪，又使我联想到古代赴往生命末端的独行侠……

似乎，我倾听到了那老妪的心声：清名、清名……

反反复复，二字而已。

不久前，子诚打来电话，告诉我徐阿婆死了。

"她，那个……我的意思是……明白我在问什么吗？……"

我这个一向要求学生对人说话起码表意明白的教师，那一时刻语无伦次。

"听家里人说，她死前几天还清了那笔钱……老人家认真到极点，还央求村支书为她从县里请去了一名公证员……现在，有关方面都因为那一笔钱而尴尬……”

我又说不出话来，也不知自己什么时候放下电话的。想到我和子诚口中，都分明地说过“还”这个字，顿觉对那看重自己清名的老人家，无疑已构成人格的侮辱。

清名、清名……

这一旦在乎反而累人自讨苦吃的东西呀，难怪今人都避得远远的，唯恐沾上了它！

我之羞愧，因亦如此……

老水车旁的风景

其实，那水车一点儿都不老。

它是一处旅游地最显眼的标志。旅游地原本是一个村子，两年前这地方被房地产开发商发现并相中，于是在盖别墅和豪宅的同时，捎带着将这里开发成了旅游景点，使之成了小型的周庄。

在双休日或节假日，城里人络绎不绝地驾车来到这里，吃喝玩乐，纵情欢娱。村里人终日里耳濡目染，思想迅速地商业化着。

城里人成群结队地来到的时候，必会看到，在那水车旁有一老妪和一少女。老妪七十有几，少女才十六七岁，皆着清朝裳。老妪形容枯瘦憔悴，少女人面桃花，目如秋水，顾盼之际，道是无情却有情。老妪纺线，少女刺绣，成为水车的陪衬，景观中的风景。她们是景区雇来在那儿给观光客们看的，若有观光客与她们照相，或可得些小费。老妪是村里的一位孤寡老人，在村里有一间半祖宅。村子受益于旅游业，有了些公款，每月亦给她五十元。老妪是以感激旅游业，对自己能有那样一种营生，甚为满足，终日笑眯眯的。少女是从外地流落到这儿的，她的家在哪里，家境如何，身世怎样，没人知道。曾有好奇的村人问过，少女讳莫如深，每每三缄其口，是以渐无问者。当地人对于外地人，免不了有点儿欺生。可像她那么一个十六七岁的女孩，讨生活的方式并不危害任何当地人的利益，虽然明明是外省人，但借故欺她，却是不忍心的。不忍相欺归不忍相欺，但对于那来历不明的小姑娘，当地人内心还是有些犯嘀咕：会不会是个小女贼，待人们放松了警惕，待她摸清了各家的情况，抓住对她有利的机会，逐门逐户偷盗个遍，然后逃得无影无踪？据他们所知，省内别的景区发生过这样的事，祸害了当地人的也是个姑娘。只不过是个二十几岁的大姑娘，只不过没有亲自偷盗，而是充当一个偷盗团伙的眼线。那么，她背后也有一个偷盗团伙吗？人们相互提醒着。随后，她的行动，便被置于许多双有责任感的眼睛的监视之下。但她一如既往地对人们有礼貌，还特别感激当地人收留她。难道因为她才十六七岁，还太单纯，看不出别人对她的警惕吗？这么小年龄的女孩儿走南闯北，会单纯才怪！那么，必是伪装的了。于是，在当地人看来，小女孩还很狡猾……

只有老妪觉得她是个好女孩儿。

她们成为“同事”几天以后，老妪曾问少女住在哪儿，少女说住在一家饭店的危房里，每天五元钱，晚上还得帮着干两个多小时的活。饭店里有老鼠，她最怕老鼠。“就是每月一百五十元，也花去了我半个来月的工资，还得看主人两口子的眼色……”

少女说得泪汪汪的。

"闺女，住我家吧。我那儿就我一个人，我也喜欢有你这么个伴儿，不会给你气受。"

老妪说得很诚恳。

少女没想到老妪会那么说，正犹豫着该怎么回答，老妪又说："我一分钱不收你的。"

……

于是，少女作为老妪所希望的一个伴儿，住到了老妪家里。

于是，少女脸上笑容多了，喜欢和她一块儿照相的观光客多了，小费也多了。最多时，每天能收到五十元。

老妪脸上的皱纹少了。熟悉她那张老面孔的人，发现她脸上几条最深的褶子变浅了，有要舒展开来的迹象了。她脑后的鬏髻也好看了，不像以前那么歪歪扭扭的了。她的指甲不再长而不剪，指甲缝也不再黑黢黢的了。她那身"行头"，显然洗得勤了。她的好心情让她的小费也多起来了。

有好心人提醒她："你让那小人精住你那儿去了？千万防着点儿，万一你那点儿钱被她偷了，临走连件寿衣都穿不上……"

老妪不爱听那样的话。

她说："走？往哪儿走？人家孩子比我多的钱放那儿都不避我，我那么点儿钱，防人家干吗？"

她爱听少女的话。

少女常对她说："奶奶，尽量想高兴的事儿，那样您准能活一百多岁。"

经历了二十几年孑然一身、形影相吊的孤寡生活以后，忽然有了一个朝夕相处的小女伴儿，老妪返老还童了似的。有时，一老一少对面坐着，各点各的钱，还相互换零凑整的……

然而，有一天老妪忽然失明，接着咯血了。村里不得不派人把她送到县医院，一诊断是癌症，早扩散了。那么老的人了，是农村人，还是个孤寡老人，也只有回家挨着。

村里负责的人就对少女说：“她都这样了，你搬走吧，爱住哪儿住哪儿去吧。”少女哭着说：“我不搬走。奶奶对我好，我要服侍服侍她。”非亲非故，来历不明，还口口声声“奶奶，奶奶”叫得挺亲，就是不搬走，图什么呢？村里负责的人想到了老妪的一间半祖屋。这个小人精，不图房子，还图什么？于是，在老妪状态稍好的某日，村里负责的人带着一男一女来到了老妪家里，他介绍那男的是县公证处的，女的是位律师。他开门见山地对老妪说，她应该在临死前做出决定，将一间半祖屋留给村里。那屋子是可以改装成门面房的，稍加改装以后，或卖或租，钱数都很可观。

老妪说：“行啊！”村里负责的人又说：“那你就在这张纸上按个手印吧！”老妪不高兴了，“我觉得，我一时死不了。”村里负责的人急了，“所以趁你还明白，才让你按手印嘛！”老妪就不理他们三个男女，把身子一转，背朝他们了……

村里负责的人没主意了，找来另外几个有主意的人商议，他们都认为老妪完全有可能被那外省的小妖精诱惑了，已经按手印留下了什么遗嘱，把一间半祖屋“赠给”那小妖精了。口口相传，几个人所担心的事情，一夜之间，仿佛成了确凿之事。是可忍，孰不可忍，岂能让不相干的人占了便宜？于是全村男女老少同仇敌忾起来，没人愿意去照顾那糊涂的老妪了……少女就连她那份儿工作也不能干了……

村里人们的心，暗中扭成了一股劲儿——你不是哭着闹着要服侍吗？你一个人好好服侍吧！服侍得再好也是枉费心机，企图占房子？法庭上见吧！十几天后，老妪走了。老妪攒下的钱不够发送自己，少女为她买了一套寿衣。又过了几天，那少女也消失了，没跟村里任何人告别，也没留下封信……

村里负责的人竟不知拿老妪那一间半祖屋怎么办才好了。景区内的门面房是在涨价，但他不敢自作主张改造、装修或租或售，因为他怕有一天少女突然出现，手里拿一份什么证明，使村里损失了改造费或装修费，甚至落个非法出售或出租的罪名……

那景区至今依然游人如织，那水车至今还在日夜转动。那一间半老屋子，至今还闲置着，越发破败了，再不改造和装修，不久就会倒塌……

最爱是兵

天黑了。

暴风雪呼啸得更加狂怒，一辆客车，已经被困在公路上六七个小时。

车上二十几个乘客中，有一位抱着孩子的年轻母亲，她的孩子刚刚两岁多一点儿。还有一个兵，他入伍不久。他那张脸看去怪稚气的，让人觉得似乎还是个少年呐。

那时车厢里的温度，由白天的零下三十摄氏度左右，渐渐降至零下四十摄氏度左右，车窗全被厚厚的雪花一层层“裱”严了。车厢里伸手不见五指，每个人都快冻僵了，那个兵自然也不例外。不知从哪年起，中国人开始将兵叫作“大兵”了。其实，普通的“大兵”们，实在都是些小战士。

那个兵，原来是乘客中穿得最保暖的人：棉袄、棉裤、冻不透的大头鞋，羊剪绒的帽子和里边是羊剪绒的棉手套，还有一件厚厚的羊皮军大衣。

但此刻，他肯定是最感寒冷的一个人。

他的大衣让司机穿走了，只有司机知道应该到哪儿去求援。

可司机不肯去，怕离开车后，被冻死在路上，于是兵就毫不犹豫地将大衣脱下来了……

他见一个老汉只戴一顶毡帽，冻得不停地淌清鼻涕，挂了一胡子，样子非常可怜，于是他摘下羊剪绒帽，给老汉戴了。老汉见兵剃的是平头，不忍接受。兵憨厚地笑笑说："大爷您戴着吧！我年轻，火力旺，没事儿。"

人们认为他是兵，他完全应该做，他自己当然也这么认为。

后来他又将自己的棉手套送给一个少女戴。她接受时对他说："谢谢。"他说："不用谢。这有什么可谢的？我是兵嘛，应该的。"

后来那年轻的母亲哭了，她发现她的孩子已经冻得嘴唇发青，尽管她一直紧紧抱着孩子。

于是有人叹气……

于是有人抱怨司机怎么还没找来救援的人们……

于是有人骂娘、骂天骂地骂那年轻的母亲哭得自己心烦心慌……

于是兵又默默地脱自己的棉袄……

那时候天还没黑。

一个男人说："大兵，把棉袄卖给我吧！我出一百元！我身上倒不冷，可我的皮鞋冻透了，我用你棉袄包脚，怎么样？怎么样？"

一个女人说："我加五十元卖给我！他的大衣比我的大衣厚。我有关节炎，我得再用什么护住膝盖呀！"

兵对那男人和女人摇摇头，在人们的注视下，走到那位年轻母亲身边，帮着她，用自己的棉袄将她的孩子包起来了……

穿着大衣的几个男人和女人，都用大衣将自己裹得更紧了。仿佛，兵的举动，使他们冷上加冷了……

再后来，天就黑了。

伸手不见五指的车厢里忽然有火苗一亮：是那个想出一百元买下他棉袄的男人按着打火机。他到兵跟前，一松手指，打火机灭了，车厢里又伸手不见五指了。

他低声说："真的，你这兵就是经冻。咱俩商量个事儿，把你的大头鞋卖给我吧，两百元！两百元啊！"

兵说："这不行，我要冻掉了双脚，就没法儿再当兵了。"

他一再地央求，说哪儿会冻掉你双脚呢！你们当兵的都练过功夫，瞧你多经冻呀！不会的。唉，说你太傻了点儿了吧！你把大衣、棉袄、帽子和手套都白送给别人穿着戴着了，怎么我买你一双鞋你倒不肯了呢？没人会知道你是卖给我的！大家都睡着了，听不到咱俩这么小声说话……

兵沉默片刻，犹豫地说："那……如果你愿意用你那半瓶酒和我换的话，我可以考虑……"

于是他又按着打火机，回到自己的座位那儿，取来了他喝剩下的半瓶酒交给了兵……

于是兵弯下腰，默默解自己的鞋带儿……

二个互换之际，他又灌了一大口酒。好像如若不然，这种交换，在他那一方面是很吃亏的。

兵从车厢这一端，摸索着走走向那一端。依次推醒人们，让所有的人都饮口酒驱寒，包括那位年轻的母亲，包括那少女。男人在这种情况下一个比一个贪心，反正黑暗掩盖着贪心，谁也看不见谁喝得太多了……

酒瓶回到兵的手中时，兵最后将它对着嘴举了起来——只有几滴酒缓缓淌进兵的嘴里。兵感到口中一热，似乎浑身也随之热了一下……

车是被困在一条山路上的，一侧是悬崖。狂风像一把巨大的扫帚，将下坡的雪一片片扫向悬崖底谷。

于是车开始悄悄地倒滑了，没有一个乘客感到这是一种不祥。

但兵敏锐地感觉到了，他下车了……

拂晓，司机引领来了铲雪车和救援的人。乘客们欢呼起来。只有一个人没欢呼，就是兵。就是那看上去怪稚气的兵，就是那使人觉得似乎还是个少年的兵。

人们是在车后面发现他的——他用肩顶着车后轮，将自己的一条腿垫在车后轮下。他就那么冻僵在那儿，像一具冰雕。也许他没有声张，是怕人们惊慌混乱，使车厢内重量失衡，车向悬崖滑得更快。也许，他发出过警告，但沉睡的人们没有听见，呼啸的狂风完全可能将他的喊声掩盖……

事后人们知道，他入伍才半年多，他还不满十九岁。他是一个穷困乡村的多子女的农家的长子，他的未婚妻是个好姑娘，期待着他复员后做他的贤妻……

这是我的一位朋友讲给我听的，他是听他的一位朋友讲给他听的。

从那以后，我就一直想为中国的兵写一篇文字，尽管我一天军装也没有穿过。

从那以后我总想说出的一句心里话是——我最爱的是兵……

不速之客

在我们寻常的或不寻常的世俗生活之中，有些事情听来似乎太戏剧化，使人怀疑其意义究竟何在。然而细细一想，你的心灵不能不为之感动，你会不禁潸然泪下……

几天前，我家来了一位不速之客，是我一九八五年在新疆认识的一位青年石油工人，算来如今他该是三十多岁的人了。岁月飞逝，大戈壁的风沙在他脸上过早地刻下了皱纹。与大都市的同龄人相比，看去他要老上十岁。

吃过饭，他吞吞吐吐地请求："梁老师，如果，如果可以的话，我想……我想住在你家……只住一宿。明天的火车票我都买好了，一早就走……"斯时已是晚上九点半了。

我爽快地说："当然可以，好不容易见上一面，你住下，我们也可以从容多聊聊嘛。"

他笑了。

我又说："明天退了票，在北京玩几天吧！"

他连连摇头，"那可不行，只有半个月假。在沧州住三五天后，探亲假就只剩下不到十天了，我老母亲可想我呐！"

我奇怪地问："那么你到沧州去，并不是……"

他又摇了摇头，"您忘了？我家在大庆嘛！到沧州农村去，是探望我奶奶。我父亲在天津站上车找我，我们一起去沧州。"

我不但奇怪，而且糊涂了。在我记忆中，他奶奶早已去世了……

他见我困惑，于是娓娓道来："晓声老师，您是知道的，我们石油人中，有不少'父子兵'，比如我和我父亲，就都是石油人。说是'父子兵'，别人准以为可以天天在一起。其实不尽然，有时调令一下，一方就得打起行李，跟随所在的大队或小队走。一走，可能就是几千里。父子可能一别就是三四年，甚至七八年，十来年……"

"您还记得我们队上的小侯吗？"

"记得，怎么不记得呢？一下了班就抱着吉他弹起来没完，外号叫'观赏猴'的那小伙子，对不对？"

"对，就是他。人们都说我俩长得像双胞胎，当年我心里挺烦他的。当年海洋石油公司不是刚组建吗？他认为海洋石油公司是石油战线的'皇家海军'，总想调到海洋石油去。领导没批，他就三番五次闹情绪。我是团支部书记，领导让我帮助他，我就一次次找他谈心。可他不跟我谈，还当众讽刺过我……去年十一月份，他死了……"

我不禁一怔，停止了吸烟。

"因为病？"

摇头。

"事故？"

摇头。

“自……杀？”

仍摇头。

我不知小侯的死和他要到沧州去探望一位“奶奶”之间有什么关系，心中疑团百种。

他也吸起烟来，吸了两口，接着说：“小侯是因公牺牲的。他给地质队去当向导，结果遇到了大风暴。他让别人回大本营，自己留下看守器材。人们找到他的时候，十几万美金进口的器材上盖着他的外衣，保护得好好的，他自己却被沙暴埋住了。人们是从一米多深的沙丘下把他扒出来的。队友们从他的遗物中发现了一封信，是他父亲写给他的。他父亲是一位老石油工人，胜利油田的，再干几年就该退休了。他和他父亲已经九年没见面了，他父亲在信上说，因公要路过兰州，我们油田在兰州有个联络处，他父亲希望他跟领导请求，也给他个因公到兰州出差的机会，那么他们父子俩可以在兰州站见上一面。火车在兰州停车二十分钟，也许二十分钟对九年间没见过一面的小侯父子，是很可以叙叙父子情的吧。总之队友们一一传看了那封信后，都哭了。大家都觉得，还是暂不告诉他父亲真相好。可是如果隐瞒，就必须有一个‘小侯’，按日按时赶到兰州，在火车站和他父亲见上一面。自然而然的，大家将目光集中到了我身上。

“我也明白了大家的意思，于是就去找队里的领导，请求批准我冒充小侯一次。领导当即就批准了，还方方面面地嘱咐了一通，怕我和小侯的父亲见面之后露出破绽……

“小侯的遗物中还有他父亲的一张照片，可那是他父亲早年的一张照片。之间又隔了九年，凭那张照片，我哪里会认出他父亲啊！我只好请车站的广播员替我广播广播。广播员是位姑娘，听我讲明来龙去脉，保证地说：‘放心吧同志，我一定替你清清楚楚地广播三遍。’我望着列车进站后，听着一遍一遍的广播声，当时内心里真是百感交集，也有些忐忑不安，生怕自己到时候不能把角色扮演好。

“第三遍还没广播完，我见有一个人匆匆向我走来，我也迎了上去。我俩在相距两步远的地方同时站住了，他望着我，我望着他。

“是他先开口说话的。他问我：‘儿子，是你吗？’我说：‘爸，是我啊！’我和那人就拥抱在一起。我忍不住哭了，仿佛他真是我亲爱的父亲，仿佛我真是他日夜想念的儿子，仿佛我们真的整整九年没见过面了。

“我父亲，也就是小侯的父亲，也落泪了。

“后来我们就找了个僻静的地方，蹲下，互相望着，都不停地吸着烟，你一言我一语地聊起来。聊了一会儿之后，‘父亲’似乎起了疑心，从兜里摸出‘我’的照片，也就是小侯的照片，低头看片刻照片，抬头看片刻‘我’，犹犹豫豫好一阵，终于下了决心，单刀直入地问：‘小伙子，别演戏了。说吧，你为什么冒充我儿子？’我无奈，只有老实交代。

“听完我的话，他将一只手拍在我肩上，大动感情地说：‘儿子，不，对不起，我现在已经不该叫你儿子了。既然你老实交代了，那么我也老实交代吧。我也不是小侯的父亲，小侯的父亲也死在工作岗位上了。和你一样，我也是被大家推选出来，经领导批准，专为了完成这一项任务的……’

“我们彼此再也不知道说什么好，互相望着，都默默流泪不止。

“第一遍开车铃响过，我们不得不都站起。

“‘父亲’，不，那个人说：‘你，可要经常给你妈写信呀！她非常想你呀！’我也说：‘你，可要经常给我奶奶写信呀！奶奶非常想你呀！’小侯有一个双目失明的奶奶，和他的伯父婶子们住在沧州乡下。后来，那个‘冒充’小侯父亲的人，给我写过一封信。信上说，他们队上的一些队友决定，每月凑二百元钱，由他寄给小侯的奶奶。我将信给我们队的队友们传看了，大家也决定，每月凑二百元钱，由我寄给小侯的妈妈……

“从小侯死至今，我们两个油田、两个大队、两个钻井小队的人，除了我和那个人，其余都不曾见过面，但都一直给小侯的奶奶和妈妈寄着钱。小侯的妈妈早已知道了真相，她早已成了我的另一位妈妈似的，去年我还代表队友们去探望过她一次。一个多月前，我收到了老孟，也就是当年‘冒充’小侯父亲那个人写给我的信。

“信上说，小侯的八十三岁的双目失明的老奶奶，既想儿子又想孙子，想得整天磨磨叨叨的。人们不是总讲八十三、七十四吗？这两个岁数都是老年人的‘坎’啊！老孟在信中跟我商量，无论怎样也应该了却老人家的心愿，使她在归天之前，和儿子、孙子团圆上几天。说他们队的领导，很理解，为此提前批准了他的探亲假。我将信给我们队的领导看，我们的领导说：‘这还用请求？也批准你提前探家。’我想这一路上，能节省几元钱，就节省几元钱吧！节省了，不是可以多给老人家留下些吗？农村不比城市，就目前来说，几元钱也是钱啊！

何况在北京，少于二十元，人生地不熟的，是很难找到地方住的……”

我想寻找到最能表达我当时心情的话，可我竟变得口拙舌笨起来。不经意间，我眼中已淌下了泪。这些石油人啊，他们是些感情色彩多么奇特的人啊！

我默默从冰箱里取出了朋友送给我的几盒蜂王浆，递给他，诚挚地说：“把我这点儿心意，也给老人家带去吧！……”

兵与母亲

麦子在北方的大地上熟了的时候，兵们复员了。

其中一个当过班长的兵，行前被单独叫到连部。连长和指导员以温和的目光望着他，交给兵一项任务——兄弟连的一位连长不幸牺牲了，他的老母亲在地方办的一所托老院里，他的任务是在复员途中替兄弟连队顺便绕路去看望一下老人家……

兵接受了这个任务。不待开欢送会，独自离开了连队。

兵如期来到了托老院，面对的却是他怎么也不曾料到的情况：托老院由于经营不善濒临倒闭。前几天，有家属接走了最后几位老人，只剩下那一位连长的母亲还住着……

托老院的人对兵说："你可来了！我们托老院的房产已经卖给一家开发公司了，对方急等开工建别墅区呢。我们因为老太太为难死了，你一来我们的问题就解决了，你无论如何把老太太接走吧！"

兵愣了一会儿，也为难地说："我把老人家接走倒是件容易的事，可我又该把老人家往哪儿送呢？"

养老院的人说："这你不必愁，她儿媳妇还在当地农村，送到她身旁去吧！”

兵寻思了一会儿，觉得只有这么做。

在老人家住的那间房子门外，兵响亮地喊了一声：“报告！”

“哪个？”——老人家的语调听来郁郁寡欢。

兵犹豫了一下这样回答：“我是一个兵。”

“是兵就不用报告了，快进来吧。当兵的都是我儿子，儿子见娘还报的什么告呢？进吧进吧！”

听得出，老人家心情急切。

托老院的人附耳对兵悄语：“老太太患了痴呆症，清楚的时候少，糊涂的时候多，这会儿说的是半清楚半糊涂的话。”

兵不由得又是一阵发愣。

“儿呀，你怎么还不进来呢？”

托老所的人又附耳对兵悄语：“老太太的双眼也基本失明了……”

兵一听心里就急了。兵怕老人家不慎摔着，顾不得再多想什么，一掌推开门迈进了屋里。

兵又大声说：“老人家，您别下床，我已经进来了！”

老人家的眼睛循声望向兵，垂在床下的一条腿，缓缓地又蜷收到床上去了。她脸一转，头一低，不理兵了……

兵一时不知如何是好。

托老院的人附耳责备兵：“你怎么能叫她老人家呢？你应该叫她娘的嘛！你要真想把老太太接走，你就得冒充是她儿子啊！我告诉你她儿子叫什么名字……”

兵竖起一只手制止道：“不用你告诉，我知道。”

"知道你还愣个什么劲儿呢？你快叫声娘试试吧！"

"娘……"兵张了几下嘴，终于轻轻地叫出了那个在连队四年不曾叫过的亲情脉脉的字。老人家没有反应。

"娘！"老人家还是没有反应。

对方悄语："她耳朵可一点儿毛病也没有，准是因为你第一声没叫她娘，而叫她老人家，惹她不高兴了。"

"这老太太一不高兴，谁都拿她没办法。我看你今天是接不走她了，先找家旅馆住下吧！"

兵接受了建议，怀着几分惆怅，默默地退了出去……

兵在旅馆住下以后，坐立不安，反反复复地只想一件事——如何才能圆满完成任务。

第二天，托老院的人到那家旅馆去找兵，服务台说，兵退房了。

"退房了？"这回轮到托老院的人发愣了，"这个兵，太不像话了！看上去挺实在，没想这么油滑！连句话都不留就溜了！"

不料，第三天，兵竟又出现在他们面前，托老院的人转忧为喜。他们对兵说，情况有变化，变得对兵极为有利了。因为老太太昨天一下午都在不停地念叨：我儿子怎么露了一面就没影儿了呢？怎么不来接我回家呢？

"只要你别再叫她老人家，充当她儿子，她准会高高兴兴地跟你走！"

他们巴不得老太太立刻就在他们眼前消失，他们一边夸赞兵一边把兵往老太太房间里推……

兵进了门，又习惯地喊了一声："报告！"

老人家的脸倏地向他转过来。老人家那双失明了的眼里似乎顿时充满温柔的目光。

兵犹豫片刻，说：“娘，是我，您儿子，来接您回家！”

于是，坐在床上的老人家，向兵伸出了自己的双臂……

兵上前几步，单膝跪下……

老人家的双手捧住了兵的脸，接着，摸向兵的肩，兵的帽子……

“儿呀，你衣肩上怎么没那章章了呢？你帽子上怎么没那五角星星了呢？”

“娘，儿复员了！”

“那，你以后就可以整天和娘在一起了？”

“对，儿以后就可以整天和娘在一起了！”

老人家便一下子将兵的头紧紧搂在她怀里了！兵的眼刹那间湿了……

兵昨天已经去了百里外的农村，见到了老人家的儿媳。军嫂是个刚强的女子，正承担着丧夫的悲痛在秋收。女儿才九岁，上小学二年级。军嫂对兵说，一忙过秋收，她就会将老人家接回来的。

兵当时问：“另转一家托老院行不行呢？”

军嫂说她四处联系过，本县还有另外一家托老院，但收费太高，丈夫那笔抚恤金支付不了几年啊。转到外县的托老院去，就没法经常去看望老人家了……

军嫂说着说着，落泪了。

兵望着才三十几岁的军嫂，想到了她以后的人生，于是一个决定在心中敲定——他要替军嫂和部队将一位牺牲了的军人的老母亲赡养起来！兵骗军嫂说，他临行前，部队指示他，务必负责将老人家转到另一个省的托老院去；说那儿条件可好了，而且是部队的转业干部在那儿当院长，老人家不会受委屈。军嫂哭了，说她怎么能舍得老人家离她那么远呢？兵就婉言劝军嫂想开点儿，说若辜负了部队的妥善安排也不好啊。军嫂却说，老人家晕车。兵说，那我用小车推她老人家！

托老院替兵买了一辆崭新的三轮平板车，装了个美观的遮篷，做了一个分格儿的箱子，里边可以装食物、矿泉水、药，连修车的工具和汽筒都替兵备齐了。

兵很感动。

老人家一坐上那辆车就笑得合不拢嘴，孩子似的嚷着："回家唉，我要回家唉！是我当兵的儿子来接我回家的！"

兵见老人家高兴，自己也高兴，也笑。兵大声说："娘，坐稳！咱娘儿俩上路啦！"

在托老院的人们的目送下，那辆崭新又美观的三轮平板车渐渐远去。兵将他们面临的难题解决了，兵将他自己那张实实在在憨憨厚厚的脸印在他们的记忆中了，他们从内心里祝福"母子"二人一路平安！

那辆崭新又美观的三轮平板车，在秋高气爽的季节，在斑斓似锦的北方大地上，在由北向南的几乎天天骄阳普照的公路上如一辆观光旅游车一样，按兵心里的计程表接近着兵的家乡。

兵一路对娘讲着自己看到的景色，偶尔也"引吭高歌"。兵唱得最熟的是《九月九的酒》：九月九，重聚首，美酒浇心头，醉倒在家门口……

路上，"娘"丢过一次，那是在与家乡的省份相邻的一个省份的地界内发生的事。傍晚，在公路旁的一家小饭馆前兵遇到了几个歹徒抢劫、欺辱一名妇女，兵当然没有袖手旁观。歹徒受到了兵凛然正气的威慑，跑了。但兵的后脑上挨了重重的一击，昏了过去……

兵醒来时，发现自己躺在县城的医院里。“我怎么会在这儿呢？”护士说：“你是见义勇为的英雄呀。在你昏迷不醒的时候，我们县里的领导都来看过你啦！”

“那……我娘呢？”“你娘？”“我在这儿几天了？”“没多久，才四天。”

兵一下子呆住了。兵突然“哇”地大哭起来，双手握成拳，同时擂着病床，“这可怎么好这可怎么好，我怎么把我‘娘’丢了！都四天了，我哪儿去找我娘呀！”

此事惊动了院长。院长问明白以后，立即向县里汇报。于是县里指示公安机关出动人员，帮助兵寻找他的“娘”。

其实四天里“娘”没离开过公路旁的那家小饭馆，确切地说，除了下车去厕所，几乎没离开那辆三轮平板车。饿了，就吃一个箱子里的面包，或几块饼干，渴了，喝几口矿泉水，或吃一个西红柿。晚上，蜷在车上睡。小饭馆的主人目睹了兵见义勇为的那一幕，有心替兵关照他的“娘”。他送给老人家饭菜老人家一口也不吃，晚上他想请老人家睡到他屋子里去，老人家也根本不听他的劝。她反反复复只说一句话：“我儿不会把我撇在这儿的！”

也幸亏头脑痴呆的老人家专执一念守在车上，否则，那车肯定会被贪财的人蹬走了。而饭馆主人唯一能尽一下心意的事，不过就是在老人家下车去厕所时，搀扶她并替她照看着车。

当兵见到“娘”四天里没洗过脸的样子，兵双臂紧紧抱住“娘”，头偎在“娘”脸前，泪如泉涌。

兵内疚地说：“娘，对不起，儿让你受委屈了。”

“娘”眉开眼笑，左手拍拍兵的背，右手摸摸兵的脸，高兴地说：“我儿叫娘好担心，我儿叫娘好担心……”

小饭馆的主人听别人悄悄议论老人头脑痴呆，认为纯粹是胡说八道，立即予以反驳：“造谣！我长这么大就没见过比她更主意铁定的老太太！不听到她儿子的声音，连冬天都会在车上过。如果她头脑痴呆，那我们都痴呆了！”

县里向兵授了一面锦旗，上绣“当兵的人”四字。

“娘”坚持让在车篷旁竖一根杆儿，将锦旗挂着。兵看得出“娘”因他这个儿子感到自豪，不愿扫老人家兴，依她。她竟信不过兵，用手摸到那旗杆儿确实竖在车篷旁了，锦旗也确实挂在旗杆儿上了，才欣然地抿嘴笑了。在人们的夹道欢送之下，兵蹬着那辆车离开了县城。

路上，“娘”问：“儿呀，旗飘着吗？”

兵朗声回答：“娘，飘得像一面迎风招展的军旗啊！”

其实，兵已经将旗取下了，他觉得太招摇了。

当然，兵和“娘”也逢过刮风天、下雨天。“娘”就会格外心疼“儿子”，不许他继续赶路，一定要他找个地方避避，或干脆在路边小店住下。兵则完全顺着“娘”的意思，一次也没惹“娘”不快过。

终于有一天，兵蹬着那辆车进入了家乡的地界……在一条盘山路旁，兵刹住车，扭回头喜悦地说：“娘，咱们到家了！远处那小村子就是……”

“娘”却在车上舒服地酣睡着。秋日中午的阳光，以它一年里最后那份儿洋洋暖意，慷慨地照耀在“娘”身上，照耀在“娘”脸上。兵不禁笑了。

斯时那辆崭新的车已经变旧了。有的地方已经因被雨淋过而生锈了。美观的车篷也褪色了，蒙尘落土了。而兵的平头已经长成长发了。兵的军装，被一番番汗碱板结了，像刚刚浆过似的。兵用手抹了一把脸上的汗，觉出自己脸上长出了扎手的胡茬儿……

斯时兵已蹬着那辆车行程数千公里，历时近两个月了……

不久，连队收到了兵的信。信中写道：“敬爱的连长和指导员：由于特殊的情况，你们交给我的任务我是这样来完成的……”

连长看完信说：“想不到啊！”

指导员看完信说：“归根到底，是我们许多这样的兵，使我们的部队有种种理由感到光荣和骄傲呀！”

当天，复员了的兵的这封信，在全连大会上被宣读了。

一阵肃静之后，一名战士大声唱了起来：咱当兵的人，有啥不一样……

于是全连战士齐唱：咱当兵的人，咱当兵的人……

他们想，数千公里以外那名复员了的战友，也许能听到他们的歌声吧？

走……

在人世间，日言“走”字之多者，莫过于这哑子似的九岁少年了。

渝自然是不哑的，且懂事很多。少年而懂事，于是嘛，必“会说话”。“会说话”，意味着说出话来，大人们总是爱听的。曾经，渝很善于说那样一类大人们爱听的话；而大人们，高兴之余，常夸他几句。渝对夸是享受的。

渝的父亲是农民。老诚，本分，沉默寡言的一个农民。对儿子之“会说话”，那农民一向是不大以为然的。

“渝，有的话，不说也罢。”

“为什么呢？说让别人高兴的话不对吗？”

“倒也不是不对，看对谁说。对他们，不说也罢。”

他们，指村里的大人们。

渝困惑。

“你长大就明白了。”

父亲摸摸他的头，教诲便结束。每次都那样。渝看得出来，还有些话，父亲很想说，不愿说……

有一年夏季，大旱。渝家地里的农作物，眼见全要旱死了，父母忧心如焚。别人家也急，集体诅咒王喜奎。这个村的人原本是不怕旱的，因为就在庄稼地的中央，有片老大的水塘，塘底有多处地泉的泉眼。即使用抽水机将水抽干，隔夜，塘水便又积满。后来王喜奎承包了那水塘，用以养鱼，别人家便不能靠那水塘的水抗旱了。村人们为此联名上访过的，然而每次都不了了之。王喜奎有好几位亲戚在县里是干部，村人们奈何不得他。

当电视里说旱情还将持续，渝的父亲一声不吭，操起锨就迈出家门。

他将那水塘挑开了一个缺口，将水引到了自家地里。于是许多人家的男人也都扛着锨迈出家门，来到地里。他们纷纷向渝的父亲敬烟，与他商议，就他挖的淌水沟，多挖几处缺口，将水再引向别的地块，渝的父亲同意了。那时，渝也在地里。渝觉得，父亲在别人眼里，差不多是英雄。对父亲，竟难免有些崇拜。

王家将渝的父亲告了，索赔七万。渝家赔不起那许多钱，法院判渝的父亲坐六年牢。村人们都说，其实王家并没受什么损失。大鱼王家已捞光，卖了。新一茬鱼苗还没放入塘去，能有多大损失呢？却也只不过私下里说说而已。说时，皆显出正义的模样。乡里的干部，按照县里的指示，到村里做了一番思想工作，于是私下里议论过的，都不再说了。中秋节，王家给每户送了一盒月饼，于是以后，全村大人见了渝和他的母亲，绕路而行。连小学校里的同学，上学或放学，也不跟渝结伴了……

自那一年起，渝哑子似的了。大人们不爱听的话，他仍很明智地不说。大人们爱听的话，竟也不再说。虽然还未长大，却也分明已明白了什么。渝不再崇拜父亲，开始体会悲哀。

后来母亲带着渝进城打工去了。

再后来，渝成了某民间杂技表演队的“尖子”，而他的“底座”，是十五岁的硍。

硍是真正的哑子，是班主的侄，否则一个哑子是入不了杂技表演队的。硍并非一生下来便哑，由于扁桃腺炎打错了针才哑的，不聋。

每天，硍的双脚要将渝蹬起几百次，那是他们必须坚持不懈的努力。渝每被蹬起一次，都要说一声“走”。台下得说，台上也得说。声音不能太大，连观众都听到了，演出水平便打折扣。声音也不能太小，若硍没听到，是会出差错的。起初，渝说“走”时，眼睛总是俯视着硍的脸。而那时，硍也用眼睛回答他——准备好了。班主因而严厉地训斥过他，说不改是绝对不行的。

“那，我看哪儿呢？”

“看正前方。”

“正前方，往往就是台口，什么也没有……”

“胡说！怎么叫什么也没有？大睁着双眼，总归能看到什么！……”

由曾经很“会说话”后来竟至于“不会说话”了的渝，那时，便只有不说话。

现在渝和硍，已是手足般的朋友。渝说“走”时，也能从正前方有所见了，便是他的母亲。偶尔，还能望到家乡，那个他和母亲都经常在梦里回去过的村子。甚而，还能望到那水塘。但家乡的一切都是模糊的。模糊中有人影——他和母亲不愿再见到、同样不愿再见到这对母子的人的影子。渝一直奇怪，为什么望到的他们，总是绰约的影子？只有母亲是清晰的，往往真实地从模糊中凸显着，如浮雕。前几天母亲给他写了一封信，说又攒下了一笔钱。攒够七万元，也许父亲能够提前释放。也正是为了父亲能够提前释放，母亲才进城打工的，渝才进杂技演出队帮着母亲攒钱的……

在硍听来，渝说“走”时，意味着是在说“回家”。硍对渝也有些不解，明明某个地方有自己不愿见到的人，为什么还非想回到那个地方去呢？然而哑巴通常都是封闭自己疑问的人。

“走……”

此刻，硍和渝，正在台上表演着。

离台口不远处，生长着一株老柳树。有四五级风，树形俯仰。那是渝的正前方，老柳树随风狂舞的枝条使渝眼花缭乱。他望不到母亲了。而且，他发着高烧。

但广场上的活动是必须进行下去的。

究竟什么活动，渝不得而知，也不想知道。

“可是……我发着烧呢……”

“可是，我的话你听不明白吗？预付金都收了，退回去？这次登台机会是我好不容易争取来的，退回去我以后还怎么揽营生？你不上台靠什么节目为咱们打知名度？……”

在班主听来，渝简直太不懂事了！

然而连硍的双脚，都能感觉到渝那瘦小的、发着高烧的身体的热度了。

这少年“底座”，内心不禁一阵阵涌起对他的“尖子”的疼惜，然而却必须一次次将“尖子”蹬得更高。

还没听到掌声。

必须听到掌声。

始终没有掌声的演出不仅意味着一次失败，更意味着相当长一个时期内大家都没收入。

“走……”

硍随声一蹬，坐在他双脚上的渝，稳稳地站在他双脚上了。

仍无一掌声。

这只是一串动作的预备，只有没见过世面的人才给掌声。

坐在第一排的人都是见过世面的人，见过世面的人断不会表现得没见过世面似的。

然而风还在刮，似乎，更大了。

渝低下头来。

期时，他极想看到一个人，哪怕仅仅是一双流露些许温爱的眼睛。

他看到了硍的眼睛。

那双眼里，确乎有他想要的东西。

一切仿佛都不复存在。

渝所看到的，似乎又是母亲的眼睛，又是父亲的眼睛。他不生村人们的气，因为他真的懂事了。

正因为真的懂事了，故每陷于悲哀。

头，真晕啊！

腿，真软啊！

但是，该走了……

“走……”

硠从未将渝蹬起得那么高过。哑巴少年对他的“尖子”的好，在那一瞬间，体现为一股力。

渝凌空一翻，双脚落在蹦床上。随即，被蹦床弹起四米有余……

掌声终于响起。

渝的双脚，却没能落在另一个少年的肩上。而那少年的下边，站立着渝的伙伴。一层两个，一层三个……

渝掉落下来的声音并不很大。

硠还仰躺着，他扭头看，见渝的口中喷出血来……

“走……”

那是他最后一次听到他的“尖子”说“走”这个字。

“回家”之意味，尤其的浓……

第五辑

有什么孩子就有什么未来

走出高等幼稚园

这也真是一种可悲。我们已然有了三亿多儿童和少年，却还有那么多的男青年和女青年硬要往这三亿之众的未成年的中国小人儿里边挤。甚至三十来岁了，仍嗲声嗲气对社会喋喋不休地宣称自己不过是“男孩”和“女孩”。

那种故作儿童状的心态，证明他们是多么乞求怜爱、溺爱、宠爱。这其中不乏当代中国的大学生，甚至尤以大学生们对时代、对社会的撒娇耍嗲，构成最让人酸倒一排牙的当代中国之“奶油风景”。

我想说我们中国的孩子已经够多的了，我想说我们中国已经是这地球上孩子最多的国家了。而那受着和受过高等教育、原本该成为最有希望的青年的一批，却赖在“男孩”和“女孩”的年龄段上，自我感觉良好地假装小孩，不知究竟打算装到哪一天……

放眼现实你会看到另一种景象，恰恰是那些无幸迈入大学校门的一批，他们并非“天之骄子”，在人生的“形而下”中闯荡、挣扎、沉浮，因而也就没了假装“男孩”、假装“女孩”

的资格。假装小孩子就没法继续活下去，他们得假装大人，假装比他们和她们的实际年龄大得多成熟得多的大人……

这是另一种悲哀。明明还是孩子的早早地丧失了孩子的天真和天性，明明是青年又受着和受过高等教育的，却厚脸憨皮地装天真装烂漫装单纯。那么，中国的大学的牌子统统摘掉，统统换上什么什么“高等幼稚园”得了！

我的外国朋友中，有一位是美国的中学校长。这位可敬的女士曾告诉我，她每接一批新生，开学的第一天，照例极其郑重极其严肃地对全体学生说一番话。她说的是，“女士们，先生们，从今天起，你们应该自觉地意识到，你们不再是孩子了。我们的美利坚合众国请求她的孩子们早些成为青年。为了我们的美国，我个人也请求你们……”

问题还不仅仅在于“男孩”、“女孩”的自幻心理是多么可笑的心理疾病，问题更在于它导致一种可以命名为“男孩文化”或“女孩文化”的“文化痁疾”！

这“文化痁疾”，首先在大众文化中蔓延，进而侵蚀一切文化领域。于是不知从哪一天开始，中国当代文化，不经意间就变成——娇滴滴、嗲兮兮、甜丝丝、轻飘飘、黏黏糊糊的一团。电视里、电台里、报纸上，所谓“男孩”和“女孩”们装嗲卖乖的成系统的语言，大面积地填塞于人们的视听空间，十三多亿中国人仿佛一下子都倒退到看童话剧的年龄了。许多报刊都在赶时髦地学说“男孩”和“女孩”才好意思那么说的话，三十大几的老爷们儿硬要去演“纯情少年”的角色，演得那个假模酸样，所谓的评论家们还叫好不迭……

真是一大幅形形色色的人都跟着装小孩学小孩的怪诞风景。

这风景迷幻我们，而且注定使我们变得弱智，变得男人更不像男人、女人更不像女人！

因为我和大学生们接触颇多，某些公司老板或报刊负责人便向我咨询“该招收什么样的大学毕业生”。

我的回答从来都是，凡张口“我们男孩如何如何”或“我们女孩怎样怎样”的一律不要，因为他们还没从“高等幼稚园”里毕业。

我给大学校长们的建议是，新生入学第一天，不妨学那位美国女校长，对新生们说：

“女士们，先生们，从今天起……”

有什么孩子就有什么未来

一

清晨，一名环卫工在收拾一只垃圾桶。看来，附近的居民环境卫生意识不强，垃圾桶并没满，许多垃圾袋却扔在桶外边，有的摔破了，垃圾散乱一地，不但令人嫌恶，还散发着难闻的气味。

环卫工的脸色很不好，他经常面对这样的情况。

一个女人在遛狗，那是一只白毛小狮子狗。小狮子狗拉了一撅狗屎，女人掏出手纸，弯腰将狗屎包起，捏着走向环卫工正在收拾的垃圾桶。

这女人的做法完全正确。

当环卫工正要将套在垃圾桶里的大垃圾袋对扎起来时，女人的手臂从他鼻子底下伸向了垃圾桶。环卫工几乎是本能地一搪胳膊，将女人的手臂搪开了。

女人生气地说："你搪什么呀你？"

环卫工愣了愣，看一眼女人捏在手里的"纸包"，反问：

“那是什么？”

“狗屎！”

“不许往垃圾桶里扔！”——环卫工似乎得理了。

“凭什么不许？！”——女人更生气了。

“垃圾桶不是让你扔狗屎的地方！垃圾桶是扔垃圾的地方，垃圾是废弃物，你懂不懂？！”

环卫工不但似乎得理了，而且开始较真儿了，其实他本不是一个爱和人抬杠的人。

“狗屎不是废弃物吗？！”

“狗屎人屎，都是屎，是屎就应该扔到厕所里去！”

“你！……你一个臭……”

“你才臭呢！”

结果狗屎扔在他身上。

“臭女人，你敢把狗屎往我身上扔？！”

环卫工一把抓住了女人手腕……

于是一些个晨练的人、散步的人、行路的人，纷纷驻足，纷纷围过来了。有的是由于产生了看热闹的心理，有的却是打算相劝的。环卫工坚持让女人赔礼道歉，女人则口口声声说他自找的。

狗屎究竟算不算废弃物也就是算不算垃圾呢？

这关系到狗屎究竟可不可以扔进垃圾桶里。

这似乎成了一个极原则的问题。

是啊，如果这个问题不搞清楚，连几位打算息事宁人的人，都不知该怎么息事怎么宁人了。

于是围观者中有认为狗屎应该算是垃圾的，有认为严格来说不是垃圾的——他们也卷入了争论。

一些个怀着看热闹心理围过来的人很开心，总算没白站住，没白围过来。

那只小狮子狗却早已吓坏了，缩卧于主人脚边，瑟瑟发抖，一个小孩子在安抚它，并说："别怕别怕，不关你的事儿。"

忽然那孩子站起，大喊："都别吵了！"

众目睽睽之下，那孩子捡起地上包着狗屎的纸包，跑了……

众目睽睽之下，那孩子跑入公共厕所去了——

厕所就在十几米外……

每一个大人都闭上了他们的嘴。

环卫工不由得放开了那女人的手腕。

至于狗屎究竟算不算废弃物也就是算不算垃圾，究竟该扔到垃圾桶里还是该扔到厕所里去，估计至今也没有一种权威的说法。

但那一条街上再也没发生过因为同样的问题而吵架的事。

那孩子肯定也说不清楚。

希望在于孩子。

在于那样的孩子……

二

那一条小街，越来越"自由市场"化了，有关部门治理了几番，无效。近来，连马车也出现了，心安理得地占据着本就不宽的街道，载的是大白菜。

街上还有一所小学校，放学后的孩子们中，有几个对那匹老马感了兴趣。

老马很瘦，被拴在水泥电线杆上。拴它的缰绳很短，使它想抬起头来一下都不可能。在离电线杆一米远的前边，有一堆白菜叶。老马的腹部瘪瘪的，一根根肋骨在皮下凸显出骨痕。它想吃到白菜，但那更不可能了。然而它太想吃到了，于是连那辆装满了白菜的车也被拉向前去。却只能拉向前一点点，结果很短的缰绳就绷紧了，马头因而低下去，马唇都快触到地面了——马眼盯着那一堆白菜叶，然而那只不过是几秒钟之内的事，体现着徒劳无益的坚持。之后车轮就会向后滑，回到原址。老马并没吃到一口白菜叶，它是多么不甘心啊，它的脖子由于较劲而变长了，皮下的血管仿佛要断了……

一个放学的孩子站住，看着那情形。

另几个孩子也站住了，他们是他的同学，估计是些小学三四年级的孩子。

“看那匹马，多可怜。”

“它可真瘦啊！”

于是这四五个孩子围了过去。

“哎，赶车的，你就不能把缰绳重拴一下，让你的马吃几口菜叶子吗？”

有个孩子替老马向赶车的发出抗议。

赶车人是小伙子，坐在一车的白菜上，正聚精会神地翻一本破破烂烂的武侠小说。他缓缓抬起头扫了孩子们一眼，没好气地说：“你管呢！滚一边去，最讨厌你们城里这些势利眼的小崽子了！”

孩子们的好心好意反而成了自讨没趣，互相看看，就都默默离开了。

有个孩子走着走着又站住了，他一转身跑回去，接着捧起些菜叶，放在老马能吃到的地方。

另外几个孩子也都跑回去了，也都像他那么做。

赶车的小伙子再扫他们一眼，这次没骂他们，而偏偏此时出了不好的事——一辆私家车从马车旁经过，与马车发生了剐蹭。

车上踏下五大三粗的汉子，双手叉腰，不拿好眼色瞪车上的小伙子。

小伙子嘟哝：“你瞪我干什么呀？是你的车又不是……”

“你他妈还有理了你！”

汉子跨前一步，抓住小伙子一只脚，将小伙子拽下了马车，拳打脚踢。

“有理讲理，不许欺负乡下人！”

周围形形色色的人们愤愤不平。

小伙子玩命了，从车上操起了一把削白菜的刀……

汉子怯了，拔腿便跑……

小伙子鼻孔里流出血来，哪里肯罢休，握刀穷追不舍……

私家车里传出一个女人的尖叫：“不好了，有人要杀人了，救命啊！……”

一时交通堵塞，街面大乱……

天快黑时小伙子才回来，他在派出所最惦着的就是他的马车和一马车大白菜。

他那一马车大白菜真是好，白是白，绿是绿。

马车还在，菜，并没被抢光。

那几个孩子，也都在。

他们中的一个，小声说："我们为你担心，怕你闹出人命来……"

另一个朝他伸出了一只手，"有我们替你看着呢，没人动你的白菜，我们还帮你卖了十几斤，这是钱，你点点……"

小伙子没接钱，忽然从车上抱起白菜，硬给孩子们，"抱着抱着，别不要，他不要你要……"

那个手攥钱的孩子，趁机将钱塞入他兜里了。

而另外几个孩子，手背手，后退。

"只要你以后，对这匹老马好一点儿，就等于谢我们了……"一个更小的声音这么说。

"我……我再赶着马车进城……就……我就连你们几个孩子都对不起……"

小伙子的话，听来有些哽咽。

希望在于孩子。

在于那样一些孩子……

三

依我看来，我的学生们也是一群孩子，尤其刚入校的大一学生们。想想吧，两个月前他们还是高中生呀，怎么不是些孩子呢？

我给他们上大课时，往往提醒："同学们，你们一定要意识到，从现在起，你们已经不再是孩子了！"

那时他们的表情，便都深沉起来，似乎对于孩子的身份，有点儿依恋，对于将被视为大人，有点儿恓惶。

某节课上，我请一名新生读一篇发表在《文音》上的散文。《文音》是我们北京语言大学中文系学生们办的刊物，那篇散文是一名大四女生所写，我觉得是一篇体现真情实感的散文，推荐为习写范文。

站起来读的是一名女生，她声音小，带有明显的地方语音，所以她读完一小段时，我就请她坐下，而让另一名女生接着读。

全班都能听得清楚第二名女生的声音了，但我心里其实还是不很满意，认为并没将那一篇散文的感情色彩读出来。

这时我发现有一名女生，侧着脸，目不转睛地望着她的同学，听得十分认真，简直可以说是在忘我地听、欣赏地听。

于是我让这名女生接着读。

她仅读了几行，全班便鸦雀无声，安静了。

因为，她读得竟是那么好！她竟能那么快地领悟到那一篇散文的感情元素，并且以自己的语调进行了特别适当的提升。

当她读罢，教室里安静如前。

我问："她读得如何？"

顿时响起掌声。

我又问第二名读过的女生："你认为呢？"

她说："如果我读得及格，那么她理应获得满分。"

我再问第一名读过的女生："你也这么认为吗？"

她说："等于是在享受。"

那一名读得很好的女生脸红了，小声说："老师，我从小学三年级起就受到过专业人士的朗读指导，以我和她俩比，对她俩太不公平了。"

当此三名刚刚成为大学中文学子的女生说话时，我一一注视她们的表情。我从她们的脸上看出，她们所说的话都是非常真诚的。

我又说："我提议大家再鼓一次掌。"

于是教室里第二次响起了掌声。

那时我心里已起了一种欣慰的感动。

我接着说："散文本身自然是一篇较好的散文，值得大家鼓一次掌。但我提议第二次鼓掌，实则是为在座的同学们自己。为什么呢？因为我们正处在一个相当浮躁的时代。这时代的浮躁，也必或多或少地折射在同学们身上，而被浮躁所浸淫的人的一个特点，那就是不愿正视别人在某一方面比自己强比自己好这样一个事实。听不得别人受到称赞，一旦听了是很不服气的。若要自己再说出称赞的话，那就更难了。而这样一种现象，在比你们多活了几十年的人的社会关系中，我已司空见惯。'罔谈彼短，靡恃己长'这一句古话，在今天的现实生活中往往反了过来。伐矜好专的现象，却屡见不鲜。这样的毛病，在老师自己身上，亦时有所现，故老师要常用'无猖狂以自彰，当阴沉以自深'这一句古话来告诫自己。今天，依我看来，同学们身上，尚无当惭偏矜的毛病，而这是单纯的特征。单纯不应被曲解为头脑简单，更多的时候证明心灵美好，没受污染，这是难能可贵的。我愿同学们在以后的人生中，能保持多么长久，就尽量保持多么长久。老师和你们一起鼓掌，实乃为你们的单纯而不由自主……”

我说时，以为那些大一的学子们，未必真会理解我的感动、我的欣慰以及我说那一大番话的良苦用心。

然而我错了。

片刻的肃静之后，教室里响起了第三次掌声……

是的，在我看来，我的学生们，也是些孩子们。

面对那样一些已成为大学学子的孩子们，无论他们喜欢不喜欢中文这一门专业，我都应该发自内心地喜欢他们。

社会看待他们的“眼”，有时未免太聚焦于他们的成功，却往往不以为然似的忽略了他们另外一些值得称赞和欣赏的方面。而那样一些方面，在他们的心中，在他们的人性纹理里，体现在他们身上的那些细微的“东西”，对于任何一个国家的明天都是重要的。

希望尤其在于已是大学学子的孩子们……

四

一天，我应邀去到某小学校，和那里的语文老师们交流教学方法。他们送我离开时，经过一间教室，但听里边争吵之声激烈，我不由得停住了脚步。

一位老师告诉我，是些小学四年级的孩子在竞选班级和年级的干部，问我是否有兴趣进去感受感受气氛。

我说兴趣是有的，但不必进去了。

于是对方中有人陪我在教室门外“偷听”。

“别吵别吵，同学们安静下来，咱们要严格按照民主程序进行——同意他担任全校少先队中队长的选举代表请举手，不同意的请举手，弃权的请举手……同意的代表超过半数，符合法定人数……”

“不行不行，这样就通过了不行！”

“怎么不行怎么不行？就行！”

“就不行！你为什么不问问谁反对？！”

“不同意不就等于反对吗？”

“不等于！比如我，不仅不同意，而且强烈反对！”

“那你刚才不举手？！”

“你说的是不同意的请举手，又没说反对的请举手！他拉选票，所以我强烈反对！”

“我也反对！”

“拉选票是允许的！竞选能不拉选票吗？”

“可他是以不正当的方式拉选票！谁选他他就答应给谁一张《哈利·波特》的光盘，还是盗版的！他已经没资格竞选了！”

“可我都做检讨了！”

“你的检讨不深刻！”

“你说不深刻就不深刻吗？！”

“大家瞧瞧他这种态度，能让大家相信他的检讨是深刻的吗？”

我听得心惊心跳，唯恐孩子们打起来，建议一位老师快去控制局面。

不料那位老师淡淡一笑，说没事儿的，绝对打不起来，小学校的学生干部，从二年级就开始实行普选了，孩子们的热情特高，不顺利的时候在所难免，但最终还是会由孩子们平息了风波，使选举继续下去……

我问她——您知道不同意和反对是不是一回事儿吗？

她愣了愣，不无惭愧地说自己不清楚，又说你应该比我清楚。

我虽经历过多次选举，但对不同意和反对是不是一回事儿一样不甚了之。

"那……那我现在再检讨一次，行了吧？"

"这还差不多！"

"你早这么请求，大家不是早就原谅你了嘛！"

"安静安静！我提议给他一次机会，让他再做一次检讨！"

听着教室里些个小学四年级的孩子一会儿吵吵嚷嚷，一会儿又异常安静的竞选过程，我和他们的老师们互相望着，都陷入沉思默想……

希望在于孩子。

希望在于明天。中国有怎样的孩子，便必有怎样的明天。

我不禁联想到了小时候经常唱的两句歌：

准备好了吗？

时刻准备着……

我们的孩子，比我这一代人是孩子的时候，还是要强啊！

教育的诗性

当我们在反省我们自己的中小学教育方法时，我想说，我们或许正在丧失着教育事业针对小学生们的诗性内涵。

一向觉得，“教育”二字，乃具诗性的词，它使人联想到另外一些具有诗性的词——信仰、理想、爱、人道、文明、知识等等。它使人最直接联想到的词是——母校、学生时代、师恩、同窗，还有一个词是“同桌”——温馨得有点儿妙曼，牵扯着情谊融融的回忆。

学校是教育事业的实体，学生将自己毕业的学校称为母校，其终生的感念，由一个“母”字表达得淋漓尽致。学生与教育这一特殊事业之间的诗性关系，无须赘言。

没有学生时代的人生是严重缺失的人生，正如没有爱的人生一样。

“师道尊严”强调的主要非是教师的个人尊严问题，而是教育之“道”，亦即教育的理念问题。全人类的教育理念从前都未免褊狭，“尊严”二字是基本内容。此二字相对于教育之“道”，也包含着古典的庄重的诗性，虽然褊狭。人类现代教育的理念十分开放，学校不再仅仅是推动个人通向功成名就的“管道”，实际上已是关乎一个民族、一个国家乃至全人类文明前景的摇篮……

于是教育的诗性变得广大了。“教育”二字，令我们视而目肃，读而声庄，书而神端，谈而切切复切切，因为它与一概人的人生关系太紧密啊。一个生命就是一次空前绝后的奇迹，父母的精血决定了生命的先天质量。生命演变为人生的始末，教育引导着人生的后天历程。对于每一个具体的人，左右其人生轨迹的因素尽管多种多样，然而凝聚住其人生元气不散的却几乎只有一件事情，那就是教育的作用和恩泽。

因为教育与社会的关系太紧密啊。

一个剥夺绝大多数人渴望享受最基础教育的愿望的社会，分明是一个被关在文明之门外边的社会。在那样的社会里，极少数人的幸运，除了给极少数人的人生带来成就和光荣外，很难也同时照亮绝大多数人精神的暗夜。

教育是文明社会的太阳。

因为教育与时代的关系太紧密啊。

爱迪生为人类提供了电灯，他改变了一个时代。但是发电照明的科学原理一被写入教育的课本里，在一切有那样的课本被用于教学而电线根本拉不到的地方，千千万万的人心里便首先也有一盏教育的“电灯”亮着了……

全世界被纪念的军事家是很多的，战争却被人类更理智地防止着；全世界被纪念的教育家是不多的，教育事业却被人类更虔诚地重视了。

少年和青年们谈起文学家、文艺家难免是羡慕的，谈起科学家难免是崇拜的，谈起外交家、政治家难免是钦佩的，谈起企业家难免是雄心勃勃的——但是谈起教育家，则往往是油然而生敬意的了（如果他们也了解某几位教育家的生平的话）。因为有一个事实他们必定肯于默认——世界上有些人是在富有了以后致力于教育的，却几乎没有因致力于教育而富有的人。他们正从后者们鞠躬尽瘁所致力的事业中，获得人生最宝贵的益处……

教育家和教育工作者们是体现教育诗性的优美的诗句。

而教育的诗性体现着人类诸关系之中最为特殊也最为别致的一种关系——师生关系的典雅和亲近。

所以中国古代有“一日为师，终身为父”的箴言，所以中国古代将拜师的礼数列为“大礼”。这当然是封建色彩太浓的现象，我觉得反而损害了师生关系的典雅和亲近。

那么，让我们来分析一下，上学这件事，对于一个学龄儿童，究竟意味着些什么吧！

记得我报名上小学那一天，哥哥反复教我十以内的加减法，因为那将证明我智力的健全与否。母亲则帮我换上了一身干干净净的衣服，并一再替我将头发梳整齐。我从哥哥和母亲的表情得出一种印象：上学对我很重要。我从别的孩子们的脸上得出另一种印象：我们以后将不再是个普通的孩子……

报完名回家的路上，忽听背后有一个清脆的声音高叫我的“大名”，也就是我出生后注册在户口本上的姓名。回头看，见是邻院的女孩儿。她的母亲和我的母亲要好，我和她稔熟之极，也经常互相怄气。此前我的“大名”从没被人高叫过，更没被一个稔熟的女孩儿在路上高叫过，而她叫我的小名早已使我听惯了。

我愕然地瞪着她，几乎有点儿恓惶起来。

她眨着眼问我："怎么，叫你的学名你还不高兴呀？以后你也不许叫我小名了啊！"

又说："你再欺负我，我就不告诉你妈了，要告诉老师了！"

一个人出生以后注册在户口本上的名字，只有当他或她上学以后才渐被公开化。对于孩子们而言，小学校是社会向他们开放的第一处"人生操场"，班级是他们人生的第一个"单位"。人与教育的诗性关系，或一开始就得到发扬光大，或一开始就被教育与人的急功近利的不当做法歪曲了。

儿童从入学那一天起，一天天改变了"自我"的许多方面。他或她有了一些新的人物关系：老师、同学、同桌。有了一些新的意识：班级或学校的荣誉、互相关心和帮助、尊敬师长以及被一视同仁平等对待的愿望等。有了一些新的对自己的要求：反复用橡皮擦去写在作业本上的第一个字，横看竖看总觉得自己还能写得更好，甚至不惜撕去已写满了字的一页，直至一字字一行行写到自己满意为止……

第一个"五"分，集体朗读课文，课间操，第一次值日……几乎所有的小学生，都怀着本能般的热忱进入了学生的角色。

那一种热忱是具有诗性的，是主动而又美好的，是在学校这一教育事业的实体环境培养之下萌生的。如果他或她某天早晨跨入校门走向班级，一路遇到三位甚至更多位老师，定会一次次郑重其事地驻足、行礼、问好。如果他或她已经是少先队队员，那么定会不厌其烦地高举起手臂行标准的队礼。怎么会烦遇到的老师太多了呢，那在他或她何尝不是一种愉快呢！

当我们中国人在以颇为怀疑的眼光审视西方某些国家里实行的对小学生的“快乐教育”时，我们内心里暗想的是——那不成了幼儿园的继续了吗？

其实不然。

据我想来，他们或许正是在以符合自己国家国情的方式，努力体现着教育事业之针对小学生的诗性吸引力。

当我们在反省我们自己的中小学教育方法时，我想说，我们或许正是在丧失着教育事业针对小学生们的诗性内涵。

当我们全社会都开始检讨我们的中小学生所面临的学业压力已成甸甸重负时，依我看来，真正值得我们悲哀的乃是中小学教育事业的诗性质量，缘何竟似乎变成了枷锁？将一代又一代儿童和少年培养成一代又一代出色的人，这样的事业怎么可能不是具有诗性的事业呢？

问题不在于“快乐教育”或其他教育方式孰是孰非，各国有各国的国情。别国的教育方式，哪怕在别国已被奉为经验的方式，照搬到中国来实行，那结果也很可能南辕北辙。问题更应该在于，我们中国人自己的头脑中，是否有必要进行这样的思考：如果我们承认教育之对于学生，尤其对于中小学生确乎是具有诗性的事业，那么我们怎样在中小学校保持并发扬光大其诗性的特征？

儿童和少年到了学龄，只要他们所在的地方有学校，不管那是一所多么不像样子的学校，只要他们周围有些孩子天天去上学，不管是多数还是少数，他们都会产生自己也要上学的强烈愿望。

这一愿望对于儿童和少年，其实并不一概地与家长所灌输的什么“学而优则仕”或自己暗立的什么“鸿鹄之志”相关。事实上即使在城市里，绝大多数家长也并不经常向独生子女灌输那些，绝大多数的学龄儿童也断然不会早熟到人生目标那么明确的程度。

它主要体现着人性对美好事物最初的趋之若渴。

在孩子的眼里，别的孩子背着书包单独或结伴去上学的身影是美好的，学校里传出的琅琅读书声是美好的，即使同样是在放牛，别的孩子骑在牛背上看书的姿态也是美好的……

这一流露着羡慕的愿望本身亦是具有诗性的，因为羡慕别的孩子的书包和羡慕别的孩子的新衣服是那么不同的两种羡慕。

这一点，在许多文学作品甚至自传作品中有着生动的描写。一旦自己也终于能去上学了，即或没有书包，即或课本是旧的破损的，即或用来写字的只不过是半截铅笔，即或书包是从母亲的某件没法穿了的衣服上剪下的一片布做成的，终于能去上学了的孩子，内心里依然是那么激动……

这也不是非要和别的孩子一样的“从众心理”，因为情形很可能是这样的，当这个曾强烈地羡慕别人能去上学的孩子向学校走去的时候，他也许招致另外更多的不能去上学的孩子们巴巴的羡慕目光的追随。斯时，后者们才是“众”……

我曾到过很偏远的一个山区小学，那学校自然令人替老师和孩子们寒心。黑板是抹在墙上的水泥刷了墨，桌椅是歪歪斜斜的带树皮的木板钉成的，孩子们的午饭是每人自家里装去的一捧米合在一起煮的粥，就饭的菜是半盆盐水泡葱叶。我受委托去向那一所小学捐赠一批书和文具，每个孩子分到书和文具的同时还分到一块橡皮。他们竟没见过城市里卖的那种颜色花花绿绿的橡皮，以为是糖块儿，几乎全都往嘴里塞……

我问他们上学好不好？

他们说好，说还有什么事儿比上学好呢？

问上学怎么好呢？

都说识字呀，能成有文化的人啊。

问有没有志向考大学呢？

皆摇头。有的说读到小学毕业就得帮家里干活儿了，有的以庆幸的口吻说爸爸妈妈答应了供自己读到初中毕业。至于识字以外的事，那些孩子们根本连想也没想过……

解海龙所摄的、成为“希望工程”宣传明星的那个有着一双大大的黑眼睛的小女孩儿，凝聚在她眸子里的愿望是什么呢？是有朝一日能跨入名牌大学的校门吗？是有朝一日戴上博士帽吗？是出国留学吗？是终成人上人吗？

我很怀疑她能否想到那么多那么远。

我觉得她那双大大的黑眼睛所巴望的，也许只不过是一间教室，一块老师在上面写满了粉笔字的黑板，一套属于她的课桌椅——而她能坐在教室里并且不必想父母会因交不起学费而发愁，自己也不必因买不起课本文具而愀然……

总而言之我的意思是，恰恰在那些被叫作穷乡僻壤的地方，在那些期待着“希望工程”资助教育事业的地方，在简陋甚至破败的教室里，我曾深深地感受到儿童和少年无比眷恋着教育的那一种简直可以用“粘连”二字来形容的、“糯”得想分也分不开的关系。

那是儿童少年与教育的一种诗性关系啊！我在某些穷困农村的黄土宅墙上，曾见过用石灰水刷写的这样的标语："再穷也不能穷了教育，再苦也不能苦了孩子！"它是农民和教育的一种诗性关系啊！有点儿豪言壮语的意味。然而体现在穷困农村的黄土宅墙上，令人联想多多，看了眼湿。

我的眼并不专善于从贫愁形态中发现什么"美感"，我还未矫揉造作到如此地步。我所看见的，只不过使我在反观我们城市里的孩子与教育——具体说是与学校的关系时，偶尔想点儿问题。

究竟为什么，恰恰是我们可以坐在宽敞明亮的教室里，而且根本不被"学费"二字困扰的孩子，对上学这件事，对学校这一处为使他们成才而安排周到的地方，往往表现出相当逆反的心理呢？

这一种逆反的心理，不是每每由学生与教育的关系，与学校的关系，迁延至学生与老师与家长的关系中了吗？

不错，全社会都看到了中小学生几乎成了学习的奴隶，猜到了他们失乐的心理，看到了他们的书包太大太重，看到了他们伏在桌上的时间太长久了……

于是全社会都恻隐了，于是采取对他们"减负"的措施。但又究竟为什么，动机如此良好的愿望，反而在不少家长们内心里被束之高阁，仿佛你有千条妙计，我有一定之规呢？但又究竟为什么，"减负"了的学生，有的却并不肯"自己解放自己"，有的依然小小年纪就满心怀的迷惘与惆怅呢？如果他们的沉重并不主要来自于书包本身的压力，那么又来自什么呢？

一名北京市的初二学生在寄给我的信中写道：

○

我邻家的哥哥姐姐们，大学毕业一年多了，还没找到工作，可都是正牌大学毕业的呀！我十分的努力，将来也只不过能考上一般大学。我凭什么认为自己将来能比他们更容易找到一份普普通通的工作呢？如果难得多，考上了又怎么样？学校扩招并不等于社会工作也同时扩招呀！可考不上大学，我的人生出路又在哪里呢？爸爸妈妈经常背着我嘀咕这些，以为我听不到，其实，我早就从现实中看到了呀！一般大学毕业生们的出路在何方呢？谁能给我指出一个乐观的前景呢？我现在经常失眠，总想这些，越想越理不出个头绪来……

○

倘这名初二女生的信多多少少有一点儿代表性的话，那么是否有根据认为——我们的相当一批孩子，从小既被沉重的书包压着，其实也被某种沉重的心事压着。那本不该属于他们年纪的心事，不幸过早地滋扰着困惑着他们了……他们累在心里，不愿明说。

我们的孩子们的状态可能是这样的：

一、爱学习，并且从小学三四年级起，就将学习与人生挂起钩来，树立了明确的学习目标的；

二、在家长经常的耳提面命之下，懂了学习与人生的密切关系的；

三、有“资格”不想，也不必怎样努力，反正自己的人生早已由父母负责铺排顺了的；

四、厌学也没“资格”，却仍不好好学习，无论家长和老师怎样替自己着急都没用的；

五、明白了学习与人生的密切关系，虽也孜孜努力，却仍对考上大学没把握的。

对第一种孩子不存在什么学习负担过重的问题，倒是需要家长关心地劝他们也应适当放松。

对第二种孩子，家长就不但应有关心，还应有体恤之心了。不能使孩子感到，他或她小小的年纪已然被推上了人生的“拳击场”，并且断然没有了别种选择……前两种孩子中的大多数，一般都能考上大学，他们和他们的家长，无论社会在主张什么，总是“按既定方针”办的。

对第三类孩子，社会和学校并不负什么特别的责任，“减负”或“超载”也都与他们无关，甚至只要他们不构成某种社会负面现象，社会和学校完全可以将他们置于关注之外、谈论之外、操心之外。

第四类孩子每与青少年社会问题有涉。他们的问题并不完全意味着教育的问题，也并非“中国特色”，几乎每个国家都有此类青少年存在。他们应是一个值得关注的问题，却也不必大惊小怪。

第五类孩子最堪怜。

从他们身上折射出的，其实更是教育背后凸显的人口众多、就业危机问题。无论家长还是学校，有义务经常开导他们，使他们比较能相信—— 我们的国家还在发展着，这发展过程中，国家捕捉到的一切机遇，其实都在有益的方面决定着他们将来的人生保障……

我们为数不少的孩子，确乎过早地“成熟”了。

本来，就中小学生而言，他们与学校亦即教育事业的关系，应该相对单纯一些才好。“识字，成为有文化的人。”——就是单纯。在这样一种儿童和少年与教育事业的相对单纯的关系中，教育体现着事业的诗性，孩子体验着求知的诗性，学校成为有诗性的地方。学校和教室的简陋不能彻底抵消诗性、教师和家长对学生之学业要求，也不至于彻底抵消诗性。

但是，倘学校对于孩子成了这样的地方——当他们才小学三四年级的时候，教师和家长就联合起来让他们相信：如果你不名列前茅，那么你肯定考不上一所好中学，自然也考不上一所好高中，更考不上名牌大学，于是毕业后绝无择业的资本，于是平庸的人生在等着你，而你若连大学都考不上，那么你几乎完蛋了。等着瞧吧，你连甘愿过普通人生的前提都谈不上了，街头那个摆摊的人或扛着四十斤的桶上数层楼给邻家送纯净水的人，就是以后的你……

这差不多是符合逻辑的，差不多是现实，同时，也差不多是某些敏感孩子的悲哀。

这一点比他们的书包更沉。

这一点，一旦被他们过早地认可了，“减负”不能减去他们心中的阴霾。

于是教育事业对于孩子们所具有的诗性，便几乎荡然无存了。

最后我想说，如果某一天，教师和家长都可以这样对中小学生讲：你们中谁考不上大学也没什么，瞧瞧你们周围，没考上大学的人不少啊！没考上大学就过普通的人生吧，普通的人生也是不错的人生啊！

倘这也差不多是一种逻辑，一种现实，那么，我们就有理由根本不谈什么“减负”不“减负”的话题了。

中小学教育的诗性，就会自然而然地复归于学校了。当然，这样一天的到来，是比“减负”难上百倍的事，我却极愿为我们中国的中小学生祈祷这一天的尽早到来！

为什么我们对“平凡的人生”深怀恐惧

“如果在三十岁以前，最迟在三十五岁以前，我还不能使自己脱离平凡，那么我就自杀。”

“可什么又是不平凡呢？”

“比如所有那些成功人士。”

“具体说来。”

“就是，起码要有自己的房、自己的车，起码要成为有一定社会地位的人吧？还起码要有一笔数目可观的存款吧？”

“要有什么样的房，要有什么样的车？在你看来，多少存款算数目可观呢？”

“这，我还没认真想过……”

以上，是我和一大一男生的对话。那是一所较著名的大学，我被邀讲座，对话是在五六百人之间公开进行的。我觉得，他的话代表了不少学子的人生志向。

我已经忘记了我当时是怎么回答的，然此后我常思考一个人的平凡或不平凡。

按《新华词典》的解释，平凡即普通，平凡的人即平民。

《新华词典》特别在括号内加注——泛指区别于贵族和特权阶层的人。

做一个平凡的人真的那么令人沮丧吗？倘注定一生平凡，真的毋宁三十五岁以前自杀吗？

我明白那大一男生的话只不过意味着一种“往高处走”的愿望，虽说得郑重，其实听的人倒是不必太认真的。

但我既思考了，于是觉出了我们这个社会，我们这个时代，近十年来，一直所呈现着的种种文化倾向的流弊，那就是——在中国还只不过是一个发展中国家的现阶段，在普遍之中国人还不能真正过上小康生活的情况下，中国的当代文化，未免过分“热忱”地兜售所谓“不平凡”的人生的招贴画了，这种宣扬尤其广告兜售几乎随处可见。而最终，所谓不平凡的人的人生质量，在如此这般的文化那儿，差不多又总是被归结到如下几点——住着什么样的房子，开着什么样的车子，有着多少资产，于是社会给以怎样的敬意和地位。于是，倘是男人，便娶了怎样怎样的女人……

二十世纪二三十年代的中国，也很盛行过同样性质的文化倾向，体现于男人，那时叫“五子登科”，即房子、车子、位子、票子、女子。一个男人如果都追求到了，似乎就摆脱平凡了。同样年代的西方的文化，也曾呈现过类似的文化倾向。区别是，在他们的文化那儿，是花边，是文化的副产品，而在我们这儿，在八九十年后的今天，却仿佛地渐成文化的主流。这一种文化理念的反复宣扬，折射着一种耐人寻味的逻辑——谁终于摆脱平凡了，谁理所当然地是当代英雄；谁依然平凡着甚至注定一生平凡，谁就是狗熊。并且，每有俨然是以代表文化的文化人和思想特别“与时俱进”似的知识分子，话里话外地帮衬着造势，暗示出更伤害平凡人的一种逻辑，即一个时势造英雄的时代已然到来，多好的时代！许许多多的人不是已经争先恐后地不平凡起来了吗？你居然还平凡着，你不是狗熊又是什么呢？

一点儿也不夸大其词地说，此种文化倾向，是一种文化的反动倾向。和尼采的所谓“超人哲学”的疯话一样，是漠视甚至鄙视和辱谩平凡人之社会地位及人生意义的文化倾向。是反众生的，是与文化的最基本社会作用相悖的，是对于社会和时代的人文成分结构具有破坏性的。

在这样的文化背景下成长起来的中国下一代，如果他们普遍认为最远三十五岁以前不能摆脱平凡便莫如死掉算了，那是毫不奇怪的。

人类社会的一个真相是，而且必然永远是牢固地将普遍的平凡的人的社会地位确立在第一位置，不允许任何意识之形态动摇它的第一位置，更不允许它的第一位置被颠覆，这乃是古今中外文化不二立场，像普遍的平凡的人的社会地位的第一位置一样神圣。当然，这里所指的，是那种极其清醒的、冷静的、客观的、实事求是的，能够在任何时代都“锁定”人类社会真相的文化，而不是那种随波逐流的、嫌贫爱富的，每被金钱的作用左右得晕头转向的文化。那种文化只不过是文化的泡沫，像制糖厂的糖浆池里泛起的糖浆沫。造假的人往往将其收集了浇在模子里，于是“生产”出以假乱真的“野蜂窝”。

文化的“野蜂窝”比街头巷尾地摊上卖的“野蜂窝”，是更对人有害的东西，后者只不过使人腹泻，而前者紊乱社会的神经。

平凡的人，那普通的人，即古罗马阶段划分中的平民。在平民之下，只有奴隶。平民的社会地位之上，是僧侣、骑士、贵族。

但是，即使在古罗马，那个封建的强大帝国的大脑，也从未敢漠视社会地位仅仅高于奴隶的平民。即使它最精英的思想传播者一致视奴隶为“会说话的工具”，也不敢轻佻地发任何怀疑平民社会地位的言论。恰恰相反，对于平民，他们的思想中有一脉相承的共同点——平民是城邦的主体，平民是国家的主体，没有平民的作用，便没有罗马为强大帝国的前提。

恺撒被谋杀了，布鲁诺斯要到广场上去向平民们解释自己参与了的行为——“我爱恺撒，但更爱罗马。”

为什么呢？因为那行为若不能得到平民的理解，就不能成为正确的行为。安东尼奥顺利接替了恺撒，因为他利用了平民的不满，觉得那是他的机会。屋大维招兵募将，从安东尼奥手中夺去了摄政权，因为他调查了解到，平民将支持他。

古罗马帝国一度称雄于世，靠的是平民中蕴藏着的改朝换代的伟力，它的衰亡，也首先是由于平民抛弃了它。僧侣加上骑士加上贵族，构不成罗马帝国，因为他们的总数只不过是平民的千万分之几。

中国古代，称平凡的人亦即普通的人为“元元”，佛教中形容为“芸芸众生”，在文人那儿叫“苍生”，在野史中叫“百姓”，在正史中叫“人民”，而相对于宪法叫“公民”。没有平凡的亦即普通的人们的承认，任何一国的任何宪法没有任何意义，“公民”一词将因失去了平民成分而成为荒诞可笑之词。

中国古代的文化和古代的思想家，关注体恤“元元”的记载举不胜举。比如《诗经·大雅·民劳》中云：“民亦劳止，汔可小康。”意思是老百姓太辛苦了，应该努力使他们过上小康的生活。比如《尚书·五子之歌》中云：“民为邦本，本固邦宁。”意思是如果不解决好“元元”的生存现状，国将不国。而孟子干脆说：“民为贵，社稷次之，君为轻。”

《三国志·吴书》中进一步强调：“财经民生，强赖民力，威恃民势，福由民殖，德俟民茂，义以民行。”

民者——百姓也，“芸芸”也，“苍生”也，“元元”也，平凡而普通者是也。

怎么，到了今天，在“改革开放”的中国，在“民”的某些下一代那儿，不畏死，而畏“平凡”了呢？

由是，我联想到了曾与一位“另类”同行的交谈。

我问他是怎么走上文学道路的。

答曰：“为了出人头地，哪怕只比平凡的人不平凡那么一点点。文学之路是我唯一的途径。”

见我怔愣，又说：“在中国，当普通百姓实在太难。”

屈指算来，那是十几年前的事了。十几年前，我认为，正像他说的那样，平凡的中国人平凡是平凡着，却十之七八平凡又迷惘着。

这乃是“民”的某些下一代不畏死而畏平凡的症结。

于是，我联想到了曾与一位美国朋友的交谈。

她问我：“近年到中国，一次更加比一次感觉到，你们中国人心里好像都暗怕着什么，那是什么？”

我说：“也许大家心里都在怕着一种平凡的东西。”

她追问："究竟是什么？"

我说："就是平凡之人的人生本身。"

她惊讶地说："太不可理解了！我们大多数美国人可倒是都挺愿意做平凡人，过平凡的日子，走完平凡的一生的，你们中国人真的认为平凡不好到应该与可怕的东西归在一起吗？"

我不禁长叹了一口气。

我告诉她，国情不同，故所谓平凡之人的生活质量和社会地位，不能同日而语。我说你是出身于几代的中产阶级的人，所以你所指的平凡的人，当然是中产阶级人士。中产阶级在你们那儿是多数，平民反而是少数。美国这架国家机器，一向特别在乎你们中产阶级，亦即你所言的平凡的人们的感觉。我说你们的平凡的生活，是有房有车的生活，而一个人只要有了一份稳定的工作，过上那样的生活并不特别难，居然不能，倒是不怎么平凡的现象了。而在我们中国，那是不平凡的人生的象征。对平凡的如此不同的态度，是两国的平均生活水平所决定了的。正如中国的知识化了的青年做梦都想到美国去，自己和别人以为将会追求到不平凡的人生，而实际上，即使跻身于美国的中产阶级了，也只不过是追求到了一种美国的平凡之人的人生罢了……

当时联想到了本文开篇那名学子的话，不禁替平凡着、普通着的中国人，心生出种种的悲凉。想那学子，必也出身于寒门，其父其母，必也平凡得不能再平凡，普通得不能再普通，不然，断不至于对平凡那么的惶恐。

也联想到了我十几年前伴两位老作家出访法国，通过翻译与马赛市一名五十余岁的清洁工的交谈。

我问他算是法国的哪一种人。

他说，他自然是一个平凡得不能再平凡、普通得不能再普通的人。

我问他羡慕那些资产阶级吗?

他奇怪地反问为什么。

是啊，他的奇怪一点儿也不奇怪。他有一幢带花园的漂亮的二层小房子，他有两辆车，一辆是环境部门配给他的小卡车，一辆是他自己的小卧车。他的工作性质在别人眼里并不低下，每天给城市各处的鲜花浇水和换下电线杆上那些枯萎的花来而已。他受到应有的尊敬，人们叫他“马赛的美容师”。

所以，他才既平凡着，又满足着，甚而，简直还可以说活得不无幸福感。

我也联想到了德国某市那位每周定时为市民扫烟囱的市长。不知德国究竟有几位市长兼干那种活，但有一位干那种活的市长曾到过中国，还访问过我。因为他除了给市民扫烟囱，还是作家。他会几句中国话，向我耸着肩诚实地说——市长的薪水并不高，所以需要为家庭多挣一笔钱。那么说时，他一点儿也不觉得有什么不好意思。

马赛的一名清洁工，你能说他是一个不平凡的人吗?德国的一位市长，你能说他极其普通吗?然而在这两种人之间，平凡与不平凡的差异缩小了，模糊了。因而在所谓社会地位上，接近着实质性的平等了，因而平凡在他们那儿不怎么会成为一个困扰人心的问题。

当社会还无法满足普遍平凡的人的基本拥有愿望时，文化最清醒的那一部分思想，应时时刻刻提醒着社会来关注此点，而不是反过来用所谓不平凡的人的种种生活方式刺激前者。尤其是，当普遍的平凡的人的人生能动性，在社会转型期受到惯力的严重甩掷，失去重心而处于茫然状态时，文化最清醒的那一部分思想，不可错误地认为他们已经不再是地位处于社会第一位置的人了。

无论过去、现在还是将来，平凡而普通的人们，永远是一个国家的绝大多数人。任何一个国家存在的意义，都首先是以他们的存在为存在的先决条件的。

一半以上不平凡的人皆出自于平凡的人之间，这一点对于任何一个国家都是同样的。因而平凡的人的心理状态，在一定程度上几乎成为不平凡的人的心理基因。倘文化暗示平凡的人其实是失败的人，这的确能使某些平凡的人通过各种方式变成较为“不平凡”的人，而从广大的心理健康的、乐观的、豁达的、平凡的人的阶层中，也能自然而然地产生较为“不平凡”的人。

后一种“不平凡”的人，综合素质将比前一种“不平凡”的人方方面面都优良许多。因为他们之所以“不平凡”起来，并非由于害怕平凡。所以他们“不平凡”起来以后，也仍会觉得自己其实很平凡。

而一个由不平凡的人都觉得自己其实很平凡的人组成的国家，它的前途才真的是无量的。反之，若一个国家里有太多这样的人——将在别国只不过极平凡的人生状态，当成在本国证明自己是成功者的样板，那么这个国家是患着虚热症的。好比一个人脸色红彤彤的，不一定是健康，也可能是肝火，也可能是结核晕。

我们的文化，近年以各种方式向我们介绍了太多太多的所谓“不平凡”的人士了，而且最终往往的，对他们的“不平凡”的评价总是会落在他们的资产和身价上。这是一种穷怕了的国家经历的文化方面的后遗症，以至于某些呼风唤雨于一时的“不平凡”的人，转眼就变成了些行径苟且的、欺世盗名的，甚至罪状重叠的人。

一个许许多多人恐慌于平凡的社会，必层出如上的“不平凡”之人。

而文化如果不去关注和强调平凡者第一位置的社会地位，尽管他们看去很弱，似乎已不值得文化分心费神——那么，这样的文化，也就只有忙不迭地不遗余力地去为“不平凡”起来的人大唱赞歌了，并且在“较高级”的利益方面与他们联系在一起，于是眼睁睁不见他们之中某些人“不平凡”之可疑。

这乃是中国包括传媒在内的文化界、思想界，包括某些精英们在内的思想界的一种势利眼病……

文明的尺度

某些词汇似乎具有无限丰富的内涵，因而人若想领会它的全部意思并非一件简单的事情。

比如宇宙。

比如时间。

不是专家，不太能说清楚。

即使听专家讲解，没有一定常识的人，也不太容易真的听明白。

但在现实生活之中，却仿佛谁都知道宇宙是怎么回事，时间是怎么回事。

为什么呢？

因为宇宙和时间作为一种现象，或曰作为一种概念，已经被人们极其寻常化地纳入一般认识范畴了。

大气层以外是宇宙空间。

一年十二个月一天二十四小时每小时六十分钟每分钟六十秒。

这些基本的认识，使我们确信我们生存于怎样的一种空间，以及怎样的一种时间流程中。这些基本的认识对于我们很重要，使我们明白作为单位的一个人其实很渺小，“飙乎若微尘”。也使我们明白，“人生易老天难老”，时间即上帝，人类应敬畏时间对人类所做种种之事的考验。

由是，我们的人生观价值观大受影响。

对于我们普通的人们，我们具有如上的基本认识，足矣。

“文明”也是一个类似的词。

东西方都有关于“文明”的简史，每一本都比霍金的《时间简史》厚得多。世界各国，也都有一批研究文明的专家。

一种人类的认识现象是有趣也发人深省的——人类对宇宙的认识首先是从对它的误解开始的，人类对时间的概念首先是从应用的方面来界定的。

而人类对于文明的认识，首先源于情绪上、心理上，进而是思想上、精神上对于不文明现象的嫌恶和强烈反对。

当普遍的人类宣布某现象为第一种“不文明”现象时，真正的文明即从那时开始。

正如霍金诠释时间的概念是从宇宙大爆炸开始。

文明之意识究竟从多大程度上改变了并且还将继续改变着我们人类的思想方法和行为方式，这是我根本说不清的，但是我知道它确实使人变得可爱得多。

二十世纪八十年代我曾和林斤澜、柳溪两位老作家访法。有一个风雨天，我们所乘的汽车驶在乡间道路上。在我们前边有一辆汽车，从车后窗可以看清，内中显然是一家人，丈夫开车，旁边是妻子，后座是两个小女儿。他们的车轮扬起的尘土，一阵阵落在我们的车前窗上，而且，那条曲折的乡间道路没法超车。终于到了一个足以超车的拐弯处，前边的车停住了。开车的丈夫下了车，向我们的车走来。为我们开车的是法国外交部的一名翻译，法国青年。于是他摇下车窗，用法语跟对方说了半天。后来，我们的车开到前边去了。

我问翻译：“你们说了些什么？”

他说，对方坚持让他将车开到前边去。

我挺奇怪，问为什么。

他说，对方认为，自己的车始终开在前边，对我们太不公平。对方说，自己的车始终开在前边，自己根本没法儿开得心安理得。

而我，默默地，想到了那法国父亲的两个小女儿。她们必从父亲身上受到了一种教育，那就是——某些明显有利于自己的事，并不一定真的是天经地义之事。

隔日我们的车在路上撞着了一只农家犬，是的，只不过是“碰”了那犬一下。只不过它叫着跑开时，一条后腿稍微有那么一点儿瘸，稍微而已。

法国青年却将车停下了，去找养那只犬的人家。十几分钟后回来，说没找到。

半小时后，我们决定在一个小镇的快餐店吃午饭，那法国青年说他还是得开车回去找一下，说要不他心里很别扭。是的，他当时就是用汉语说了“心里很别扭”五个字。而我，出于一种了解的念头，决定陪他去找。终于找到了养那条犬的一户农家，而那条犬已经若无其事了。于是郑重道歉，于是主动留下名片、车号、驾照号码……

回来时，他心里不“别扭”了，接下来的一路，又有说有笑了。

我想，文明一定不是要刻意做给别人看的一件事情，它应该首先成为使自己愉快并且自然而然的一件事情。正如那位带着全家人旅行的父亲，他不那么做，就没法儿“心安理得”。正如我们的翻译，不那么做就“心里很别扭”。

中国也大，人口也多，百分之八九十的人口，其实还没达到物质方面的小康生活水平。腐败、官僚主义、失业率、日愈严重的贫富不均，所有负面的社会现象，决定了我们中国人的文明，只能从底线上培养起来。上一个世纪初，全世界才十六亿多人口，而现在，中国人口略少于一百年前的世界人口而已。

所以，我们不能对于我们的同胞在文明方面有太脱离实际的要求，无论我们的动机多么良好，我们的期待都应搁置在文明底线上，而即使在文明的底线上，我们中国人一定要改变一下自己的方面也是很多的。比如袖手围观溺水者的挣扎，其乐无穷，这是我们的某些同胞一向并不心里“别扭”的事，我们要想法子使他们以后觉得仅仅围观而毫无营救之念是“心里很别扭”的事。比如随地吐痰，当街对骂，从前并不想到旁边有孩子，以后人人应该想到一下的。比如中国之社会财富的分配不公，难道是天经地义的吗？我们听到了太多太多堂而皇之天经地义的理论。当并不真的是天经地义的事被说成仿佛真的是天经地义的事时，上公共汽车时也就少有谦让现象，随地吐痰也就往往是一件大痛其快的事了。

中国不能回避一个关于所谓文明的深层问题，那就是文明概念在高准则的方面的林林总总的“心安理得”，怎样抵消了人们寄托于文明底线方面的良好愿望？

我们几乎天天离不开肥皂，但肥皂反而是我们说得最少的一个词；“文明”这个词我们已说得太多，乃因为它还没成为我们生活内容里自然而然的事情。

这需要中国有许多父亲，像那位法国父亲一样自然而然地身体力行……

最合适的，便是最美的

哪一个青年没有过理想？谁甘愿度过平庸的一生？

当这样的问题摆在面前，很多人也许会想到宗教。

其实宗教也是一种理想。

人和植物、动物的区别，重要的一点恰恰在于人会设计自己的愿望，有实现这一愿望的冲动。理想使人高出宇宙万物，理想使人具有百折不挠的精神力量，因而当人实现这一愿望的冲动受挫，理想便使人痛苦。

如果能够进行统计的话，实现了自己的理想的人必然是少数，那么是否绝大多数的人又都是不幸的呢？我相信不是这样。

理想，说到底，无非是对某一种活法的主观的选择。客观的限制通常是强大于主观的努力的，只有极少数人的主观努力最终突破了客观的限制，达到了理想的实现，这便使人对“主观努力”往往崇拜起来，以为只要进行了百折不挠的努力，客观的限制总有一天将被“突破”——其实不然。

所以我认为，有理想是一种正确的生活态度，放弃理想也是一种正确的生活态度。有时，后一种态度，作为一种活着的艺术，乃是更明智的。有理想有追求是一种积极主动的活法，不被某一不切实际的理想或追求所折磨，调整选择的方位，更是积极主动的活法。

一种活法，只要是最适合自己的，便是最好的，最美的。当然，这活法首先该是正常的正派的活法。如果人觉得，盗贼或骗子的活法才最适合自己的话，那我们就无法与之沟通了。

曾有一位大学生，来信倾诉自己对文学的虔诚，以及想成为作家的恒心，并且因为是学理工的，便感到自己是世界上最不幸的人了。

我回信向他指出——首先他不实事求是，因为考入一所名牌大学，与同龄青年相比已使他成为最幸运的人了。其次，既然是大学生，那么学习目前对他是最适合的。校园生活，目前对他是最好的、最美的生活。即使他最终还是要专执一念当作家，目前的学习生活，对他日后当作家也是有益的积累。而且作家是各式各样的——无职无业的"个体作家"、有职有业的半专业作家，也有我这样的以创作为唯一职业的专业作家。随着社会结构的变化，拿工资的专业作家会少起来，不拿工资的"个体作家"和有职有业的半专业作家会多起来。他究竟要当哪一种作家呢？马上就当不拿工资的"个体作家"？生活准备不足，能靠稿费养得了自己吗？连我自己目前也不能，所以我为他担忧。我劝他目前要安心学习，先按捺下当作家的迫切愿望，将来大学毕业了，从业余作家当起，继而半专业，继而专业，如果他确有当作家的潜质的话……

可是他根本听不进我的劝告，他举例说巴尔扎克就是根本不理睬父母希望他成为律师的预想，终于成大作家的。他那么固执，我对他的固执无奈。结果他学习成绩下降，一篇篇稚嫩的“作品”也发表不出来，连续补考又不及格，不得不离开了大学校园。

他在北京漂荡了一段时期，写作方面一事无成，在我的资助下回老家去了。

现在他精神失常了。

这多可悲呢。

北京电影制片厂曾有一百六七十位演员。设想，一旦成为演员，谁不想成大明星呢？但这受个人条件的局限，受种种机遇的摆布。有些人空怀着明星梦，甚至十几年内没上过什么影片。其中一些明智的人，醒悟较快，便改行去当剪辑、录音，或其他方面的工作，有些是我的朋友。他们在人到中年这个关键时刻，毅然摆脱过去曾怀抱过那引起不切实际的理想的纠缠，重新选择最适合自己的活法，自然也活得好了。

著名女作家铁凝也有过和我类似的与青年的接触。

一位四川乡村女青年不远万里寻找到她，希望在她的指导之下早日成为作家。须知一位作家培养另一个人成为作家这种事，古今中外实在不多。一个人能不能成为作家，关键恐怕不在培养，而在自身潜质。铁凝是很善良、很真挚、很会做思想工作的。铁凝询问了她的情况之后，友好地向她指出——对于她，第一是职业问题，因为有了职业就有了工资，有了工资就有了衣食住行的起码保障。今天的青年，如果有可能找到一份工作，取得衣食住行的起码保障，为什么不呢？当然，你要一心想在什么中外合资的大公司当上一位公关小姐，每月拿着一千多元的工资，是另一回事了。须知如今大学生、研究生找到完全合乎自己愿望的工作都很难，你凭什么指望生活格外垂青于你呢？

那女青年悟性很好，听从了铁凝的劝告，回到家乡去了，在一个小县城找到了一份最普通的工作。以后她常把她的习作寄给铁凝，铁凝也很认真地予以指导。终于她的文章开始在地区的小报刊上陆续刊登了，当然都是些小文章。她终于在自己生活的那个地方，渐渐引起了人们的注意。后来因这“一技之长”，她被调到了县里计划生育办公室搞宣传。后来她寻找到了一个好丈夫，组成了一个温暖的小家庭，有了一个可爱的孩子，生活得挺幸福。她在她生活的那个地方，寻找到了最适合她的“坐标”，对她来说，那是最好的生活，也是最美的，起码目前是这样。至于以后她是否会成为大作家，那就非铁凝能帮得了的了……

有些青年谈论理想的时候，往往忽略了现实和理想之间的时空距离。或者虽然承认有距离，但却认为只要时来运转，一步便能跨越。其实有些距离，是终生不能跨过的。嗓子天生五音不全而要成为歌星，身材不美而要成为芭蕾演员，没有表演才能而非迷恋影视生涯，凡此种种，年轻时想一想是可爱的，倘非当作人生理想、人生目标去耿耿追求，又何苦呢？倘一位中国的乡村女孩儿的理想是有朝一日做西方某国的王妃，并且发誓不达目的誓不罢休，这“理想”本身岂不是就怪令人害怕吗？正如哪一位中国的作家如若患了“诺贝尔情绪”，发誓不获诺贝尔文学奖便如何如何，也是要不得的。

一切生活都是生活，无论主观选择的还是客观安排的，只要不是穷困的、悲惨的、不幸接踵不幸的，只要是正常的生活，便都是值得好好生活的。须知任何一种生活都是有正面和负面的，帝王的权威不是农夫所能企盼得到的，但农夫却不必担心被杀身篡位。一切名流的生活之负面的付出，都是和他们所获得的正面成比例的。人往高处走，水往低处流，一人改变自己的命运的想法永远是天经地义无可指责的，但首先应是从最实际处开始改变。

荀子说过，“自知者不怨人，知命者不怨天。”字面看来有点儿听天由命的样子，其实强调的是一种乐观的生活态度。没有乐观的生活态度，哪还谈得上什么积极进取呢？不必在二十多岁的时候，便给自己的一生设计好什么“蓝图”。在以后的几十年中，机遇可能随时会向你招手，只要你是有所准备的。

社会越向前发展，人的机遇将会越多而不会越少。三十岁至四十岁得到的，绝不会是你最后得到的，失去它的机会像得到它一样偶然。同样三十岁至四十岁未得到的，并不意味着你一生不能实现。你的一生也许将几次经历得到、失去、再得到、再失去，有时你的人生轨迹竟被完全彻底地改变，迫使你一切从头开始。谁准备的方面多，谁应变的能力强，谁就越能把握住一份儿属于自己的生活。当代社会越向前发展，则越将任何一种事业与人的关系，变成为不离不即，离离即即，偶尔合一，偶尔互弃的关系……

心灵的花园

谁不希望拥有一个小小花园？哪怕是一丈之地呢！若有，当代人定会以木栅围起。那木栅，我想也定会以个人的条件和意愿，摆弄得尽可能美观。然后在春季撒下花种，或者移栽花秧。于是，企盼着自己喜爱的花儿，日日地生长、吐蕾，在夏季里姹紫嫣红开成一片虽在秋季里凋零却并不忧伤，仔细收下了花籽儿，待来年再种，相信花儿能开得更美……

真的，谁不曾怀有过这样的梦想呢？

都市寸土千金，地价炒得越来越高，拥有一个小小花园的希望，对寻常之辈不啻是一种奢望、一种梦想。某些副部级以上的干部，而且是老资格的，才有可能把希望变成现实，于是令寻常之人羡眼乜斜。

我想，其实谁都有一个小小花园，谁都是有苗圃之地的，这便是我们的内心世界。人的智力需要开发，人的内心世界也是需要开发的。人和动物的区别，除了众所周知的诸多方面，恐怕还在于人有内心世界。心不过是人的一个重要脏器，而内心世界是一种景观，它是由外部世界不断地作用于内心渐渐形成的。每个人都无比关注自己及至亲至爱之人心脏的健损，以至于稍有微疾便惶惶不可终日。但并非每个人都关注自己及至亲至爱之人的内心世界的阴晴，己所无视，遑论他人？

我常“侍弄”我心灵的苗圃。身已不健，心倘尤秽，又岂能活得好些？职业的缘故，使我惯对自己和他人的心灵予以研究。结论是——心灵，亦即我所言内心世界，是与人的身体健康同样重要的。故保健专家和学者们开口必言的一句话，不仅仅是“身体健康”，而且是“身心健康”。

我爱我的儿子梁爽，他读小学，这正是一个人的内心世界开始形成的年龄，我也常教他学会如何“侍弄”他那小小心灵的苗圃。“侍弄”这个词，用在此处是很勉强的，不那么贴切，姑且借用之吧！意思无非是——人自己的内心世界如果自己惰于拂拭，是会浮尘厚积、杂草丛生的。也许有人联系到禅家的一桩“公案”——“时时勤拂拭，莫使惹尘埃”之说的“俗”和“心中无一物，何处惹尘埃”之说的“彻悟”。

我系俗人，仅能以俗人的观念和方式教子。至于禅家乃至禅祖们的某些玄言，我一向是抱大不恭的轻慢态度的，认为除了诡辩技巧的机智，没什么真的“深奥”。现代人中，我不曾结识过一个内心完全“虚空”的。满口“虚空”，实际上内心物欲充盈、名利不忘的，倒是大有人在。何况我又不想让我的儿子将来出家，做什么云游高僧，故我对儿子首先的教诲是——人的内心世界，或言人的心灵，大概是最容易招惹尘埃、沾染污垢的，“时时勤拂拭”也无济于事。心灵的清洁卫生只能是相对的，好比人的居处的清洁卫生只能是相对的。而根本不拂拭，甚至不高兴别人指出尘埃和污垢，则是大不可取的态度，好比病人讳疾忌医。

一次儿子放学回到家里，进屋就说："爸爸，今天同学的红领巾被老师收去了！"

我问为什么。

儿子回答："犯错误了呗！把老师气坏了！"

那同学是他好朋友，但却有些日子不到家里来玩儿了。我依稀记得他讲过，似乎老师要在他们两者之间选拔一名班干部。

我又问："你高兴？"

他怔怔地瞪着我。

我将他召至跟前，推心置腹地问："跟爸爸说实话，你是不是因此而高兴？"

他便诚实地回答："有点儿。"

我说："你学过一个词，叫'幸灾乐祸'，你能正确解释这个词吗？"

他说："别人遭到灾祸时自己心里高兴。"

我说："对。当然，红领巾被老师收去了，还算不得什么灾，但是你心里已有了这种'幸灾乐祸'的根苗，那么你哪一天听说他生病了、住院了，甚至生命有危险了，说不定你内心里也会暗暗地高兴。"

儿子的目光告诉我，他不相信自己会那样。

我又说："为什么他的红领巾被老师收去了，你会高兴呢？让爸爸替你分析分析，你想一想对不对？——如果你们老师并不打算在你们两个之间选拔一名班干部，你倒未必幸灾乐祸。如果你心里清楚，老师最终选拔的肯定是你，你也未必幸灾乐祸。你之所以幸灾乐祸，是因为自己感到，他和你被选拔的可能性是相等的，甚至他被选拔的可能性更大些，于是你才因为他犯了错误惹老师生气了而高兴。你觉得，这么一来，他被选拔的可能性缩小，你自己被选拔的可能性就增大了。你内心里这种幸灾乐祸的想法，完全是由嫉妒产生的。你看，嫉妒心理多丑恶呀，它竟使人对朋友也幸灾乐祸！”

儿子低下了头。

我接着说：“如果他并没犯错误，而老师最终选拔他当了班干部，你现在的幸灾乐祸，就可能变成一种内心里的愤恨了，那就叫嫉妒的愤恨。人心里一旦怀有嫉妒的愤恨，就会进一步干出不计后果、危害别人、危害社会的事，最后就只有自食恶果。”

接着我给他讲了一件事。

○

有两个女孩儿，她们原本是好朋友，又都是从小学芭蕾的。一次，老师要从她们两人中间选一个主角。其中一个认为肯定是自己，应该是自己，可老师偏偏选了另一个。于是，她就在演出的头一天晚上，将她好朋友的舞裙，剪成了一片片。另外有两个女孩儿，是一对小杂技演员。一个是“尖子”，也就是被托举起来的，另一个是“底座”，也就是将对方托举起来的，她们的演出几乎场场获得热烈的掌声。可那个“底座”不知为什么，内心里怀上了嫉妒，总是莫名其妙地觉得，掌声是为“尖子”一个人鼓的，她觉得不公平。日复一日的，那一种暗暗的嫉妒，就变成了嫉妒的愤恨，她总是盼望着她的“尖子”出点儿什么不幸才好。终于有一天，她故意失手，制造了一场不幸，使她的“尖子”在演出时当场摔成重伤……

○

最后我对儿子讲，如果那两个因嫉妒而干伤害别人之事的女孩儿，不是小孩儿而是大人，那么她们的行为就是犯罪行为了……

儿子问："大人也嫉妒吗？"

我说大人尤其嫉妒，一旦嫉妒起来尤其厉害，甚至会因嫉妒杀人放火干种种坏事。也有因嫉妒太久，又没机会对被嫉妒的人下手而自杀的……

我说，凡那样的大人，皆因从小的时候开始，就让嫉妒这颗种子，在心灵里深深扎了根。他们的内心世界，不是花园，不是苗圃，而是荆棘密布的乱石冈……

儿子问："爸爸你也嫉妒过吗？"

我说我当然也嫉妒过，直到现在还时常嫉妒比自己幸运比自己优越比自己强的人。我说人嫉妒人是没有办法的事，从伟大的人到普通的人，都有嫉妒之心，没产生过嫉妒心的人是根本没有的。

儿子问："那怎么办呢？"

我说，第一，要明白嫉妒是丑恶的，是邪恶的。嫉妒和羡慕还不一样，羡慕一般不产生危害性，而嫉妒是对他人和社会具有危害性和危险性的。第二，要明白，不可能一切所谓好事、好的机会，都会理所当然地降临在你自己头上。当降临在别人头上时，你应对自己说，我的机会和幸运可能在下一次。而且，有些事情并不重要。比如对于一个小学生来说，当上当不上班干部，并不说明什么，好好儿学习，才是首要的……

儿子虽然只有十几岁，但我经常同他谈心灵。不是什么谈心，而是谈心灵问题，谈嫉妒、谈仇恨、谈自卑、谈虚荣、谈善良、谈友情、谈正直、谈宽容……

不要以为那都是些大人们的话题，十几岁的孩子能懂这些方面的道理了，该懂了。而且，从我儿子，我认为，他们也很希望懂。我认为，这一切和人的内心世界有关的现象，将来也必和一个人的幸福与否有关。我愿我的儿子将来幸福，所以我提前告诉他这些……

邻居们都很喜欢我的儿子，认为他是个“懂事”的好孩子。同学们跟他也都很友好，觉得和他在一起高兴，愉快。

我因此而高兴，而愉快。

我知道，一个心灵的小花园，“侍弄”得开始美好起来了……

（京）新登字 083 号
图书在版（CIP）数据

花儿与少年 / 梁晓声著 . -- 北京 : 中国青年出版社，2018.1（2022.8 重印）
（梁晓声爱的教育系列）
ISBN 978-7-5153-5034-9

Ⅰ . ①花… Ⅱ . ①梁… Ⅲ . ①散文集－中国－当代 Ⅳ . ① I267
中国版本图书馆 CIP 数据核字（2017）第 315256 号

花儿与少年

梁晓声 著

责任编辑：李钊平　彭慧芝
装帧设计：XXL Studio 刘晓翔 + 郑坤
出版发行：中国青年出版社
社址：北京市东城区东四十二条 21 号
网址：www.cyp.com.cn
编辑中心：010-57350578
营销中心：010-57350370
印装：北京中科印刷有限公司
经销：新华书店
规格：710 × 1000mm 1/16
印张：18.25
字数：250 千
版次：2018 年 2 月北京第 1 版
印次：2022 年 8 月北京第 3 次印刷
印数：14001—24000 册
定价：46.00 元